Chicos Chicas

Cuaderno de ejercicios
nivel 2

Nuria Salido García

edelsa

GRUPO DIDASCALIA, S.A.
Plaza Ciudad de Salta, 3 - 28043 MADRID - (ESPAÑA)
TEL.: (34) 914.165.511 - (34) 915.106.710
FAX: (34) 914.165.411
e-mail: edelsa@edelsa.es - www.edelsa.es

C000144795

Primera edición: 2003
Primera reimpresión: 2004
Segunda reimpresión: 2005

© Edelsa Grupo Didascalia, S.A. Madrid, 2003
Autora: Nuria Salido García

Dirección y coordinación editorial: Departamento de Edición de Edelsa.
Diseño de cubierta: Departamento de Imagen de Edelsa.
Maquetación y fotocomposición: Francisco Cabrera Vázquez y Susana Ruiz Muñoz.

Imprenta: Rógar.
ISBN: 84-7711-783-7
Depósito legal: M-25496-2005
Impreso en España
Printed in Spain

Fuentes, créditos y agradecimientos

Ilustraciones:
Ángeles Peinador Arbiza

Fotografías:
Archivo y Depto. de Imagen de Edelsa
Flat Earth

Notas:

– La editorial Edelsa ha solicitado los permisos de reproducción correspondientes y da las gracias a quienes han prestado su colaboración.

Índice

Chicos Chicas

1 ¡Isabel y Pedro están aburridos! Van a jugar a las adivinanzas. Completa los siguientes diálogos con los interrogativos correspondientes. ¿De qué actividad se trata? Tienes que escribirla en la última frase.

¿Dónde?
¿Cuánto?
¿Por qué?
¿Cuáles?

¿Quién?
¿Cómo?
¿Cuándo?
¿Qué?
¿De qué?

1

Pedro: ¿A _____ jugamos? ¡Estoy aburrido!
Isabel: ¡A las adivinanzas! ¿Vale?
Pedro: Bueno, venga. Empiezo yo, pero... ¿_____ adivinamos?
Isabel: Actividades.
Pedro: Sí, pero ¿_____?
Isabel: ¿De ocio?
Pedro: ¡Vale! ¡Ya está! Es una actividad que se practica en invierno.
Isabel: ¿_____? ¿En el mar o en la montaña?
Pedro: En la montaña.
Isabel: ¡Es muy fácil! ¡El esquí!
Pedro: ¡No! No has adivinado.
Isabel: Y... ¿_____ se practica?
Pedro: Deslizándose.
Isabel: ¿Y no es el esquí? ¿Con _____ se practica, solo o en equipo?
Pedro: Solo.
Isabel: Es...
Pedro: ¡Es tu última oportunidad!
Isabel: _____

2

Isabel: Es una actividad que a los padres no les gusta. ¡Siempre protestan!
Pedro: ¿Con _____ se practica, con amigos?
Isabel: Sí, pero también solo.
Pedro: Y ¿_____?
Isabel: Normalmente en casa. Se necesita un aparato eléctrico.
Pedro: ¡Ver la televisión!
Isabel: ¡No! ¡Otra oportunidad!
Pedro: ¿_____ se puede practicar?
Isabel: A todas horas.
Pedro: _____

3

Pedro: Me toca a mí. Si la practicas ¡tienes que saber los riesgos que corres!
Isabel : ¿_____? ¿Es una actividad peligrosa?
Pedro: No, pero pueden protestar los vecinos.
Isabel : ¡Ah! ¿_____? ¿Mucho o poco?
Pedro: ¡Mucho! Seguro que se lo dicen a tus padres.
Isabel : Pues tus vecinos siempre protestan... ¡Ya está! ¡Tocar la guitarra eléctrica!
Pedro: ¡Caliente, caliente!
Isabel : ¿_____ la practica? ¿Javier o Manuel?
Pedro: Si te lo digo, adivinas. Otra pista: tienes que comprar los platillos.
Isabel : _____

Soluciones: 1. Montar en tirneo - 2. navegar por Internet - 3. tocar la batería

notas

2 ¿Tienes buena memoria? Aquí tienes algunas respuestas de los diálogos del ejercicio 1. Formula la pregunta en tu cuaderno. Después, compruébalas.

1. ¡A las adivinanzas! ¿Vale?
2. Actividades.
3. En la montaña.
4. Deslizándose.
5. Solo.

6. Normalmente en casa.
7. A todas horas.
8. Si la practicas, ¡tienes que saber los riesgos que corres!
9. ¿Javier o Manuel?

3 a. Piensa en cuatro actividades que te gustaría hacer en tu tiempo libre. Para tener tus respuestas preparadas antes de jugar a las adivinanzas, escribe posibles pistas.

b. Ahora, ¡a jugar con tu compañero!

EL FÚTBOL:
Se puede practicar al aire libre o en un lugar cerrado.
Se juega en equipo.
No se pueden utilizar las manos.

Es una actividad que se practica al aire libre o en un lugar cerrado.

¿Con quién se practica?

Se hace en equipo.

¡El baloncesto!

¡No! Otra pista: no se pueden usar las manos.

¡El fútbol!

4 a. ¿Recuerdas cómo se utilizan los verbos para expresar gustos y preferencias? Observa los siguientes ejemplos.

Prefiero las matemáticas.

Nos gusta el cine.

Preferimos la comida italiana.

Prefieres los deportes náuticos.

Te gustan los deportes de equipo.

Me gustan los idiomas.

b. ¿Cómo se usan estos verbos, como "gustar" o como "preferir"?

Encantar

Detestar

Odiar

Adorar

Apasionar

Como "gustar"

Como "preferir"

Los verbos como "gustar," _____ y _____ se utilizan en tercera persona del singular o del _____. Concuerdan con el objeto.
Ejemplo:
Me _____ los libros de ciencia ficción.

Los verbos como _____, _____ y _____ se usan con todas las personas porque concuerdan con el sujeto.
Ejemplo:
Yo _____ las películas de acción.

5 **a. Completa las siguientes fichas.**

Encantar  Gustar Preferir No gustar Detestar

Nombre: Patricia.
Edad: 15 años.
Nacionalidad: chilena.
Gustos y preferencias:

No me gusta el deporte, ni practicarlo ni verlo. ☹ los partidos de fútbol. 🙂🙂🙂 quedarme en casa viendo películas de aventuras con los amigos: ☹ hacer la cola para sacar las entradas. Sin embargo, 🙂 estudiar sola, me concentro mejor. 🙂🙂 quedar con las amigas para charlar. 🙂🙂🙂 la comida china y las pizzas.

Nombre: Daniel.
Edad: 17 años.
Nacionalidad: español.
Gustos y preferencias:

🙂🙂 mucho hacer deporte, sobre todo los de equipo. 🙂🙂🙂 las hamburguesas y los videojuegos, ¡pero ☹ pasar mucho tiempo delante de la pantalla! Las películas que más 🙂🙂 son las de ciencia ficción, eso sí, en el cine, para ver mejor los efectos especiales. 😐 mucho estudiar, así que 🙂 estudiar con amigos.

Nombre: Isabel.
Edad: 16 años.
Nacionalidad: peruana.
Gustos y preferencias:

🙂🙂🙂 las pizzas y la pasta: ¡viva la comida italiana! 🙂🙂 ir al cine, porque 😐 ver películas en televisión. 🙂 salir con los amigos que quedarme en casa. Eso sí, cuando tengo que estudiar 🙂🙂 encerrarme en mi habitación, sola o con algún compañero. 🙂🙂 mucho salir de compras con mis amigas. ☹ estar sentada delante del ordenador.

Nombre: Jorge.
Edad: 16 años.
Nacionalidad: cubano.
Gustos y preferencias:

☹ la comida rápida. 🙂🙂 mucho los videojuegos, pero también leer. Las películas 🙂🙂🙂 y me da igual verlas en el cine o en vídeo. Juego en un equipo de fútbol: 🙂🙂 mucho. También 🙂🙂 quedar con los amigos los domingos para ver algún partido. No tengo mucho tiempo, así que 🙂 estudiar solo porque me concentro mejor.

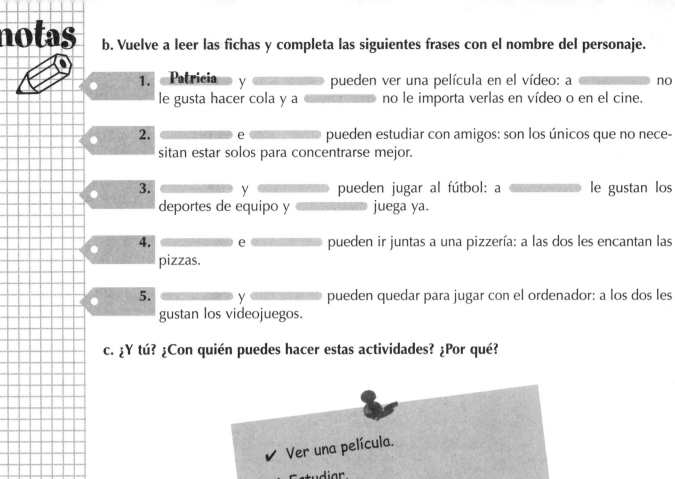

b. Vuelve a leer las fichas y completa las siguientes frases con el nombre del personaje.

1. ___Patricia___ y _____ pueden ver una película en el vídeo: a _____ no le gusta hacer cola y a _____ no le importa verlas en vídeo o en el cine.

2. _____ e _____ pueden estudiar con amigos: son los únicos que no necesitan estar solos para concentrarse mejor.

3. _____ y _____ pueden jugar al fútbol: a _____ le gustan los deportes de equipo y _____ juega ya.

4. _____ e _____ pueden ir juntas a una pizzería: a las dos les encantan las pizzas.

5. _____ y _____ pueden quedar para jugar con el ordenador: a los dos les gustan los videojuegos.

c. ¿Y tú? ¿Con quién puedes hacer estas actividades? ¿Por qué?

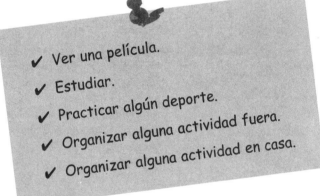

✔ Ver una película.

✔ Estudiar.

✔ Practicar algún deporte.

✔ Organizar alguna actividad fuera.

✔ Organizar alguna actividad en casa.

Puedo ver una película de aventuras con Patricia, porque a mí tampoco me gusta hacer la cola del cine.

1 a. Observa estos anuncios. Después, indica si las afirmaciones son verdaderas o falsas.

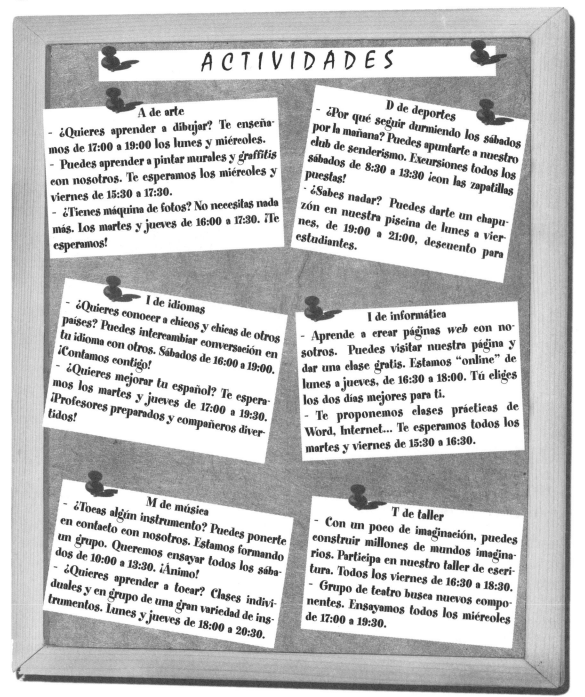

ACTIVIDADES

A de arte
- ¿Quieres aprender a dibujar? Te enseñamos de 17:00 a 19:00 los lunes y miércoles.
- Puedes aprender a pintar murales y graffitis con nosotros. Te esperamos los miércoles y viernes de 15:30 a 17:30.
- ¿Tienes máquina de fotos? No necesitas nada más. Los martes y jueves de 16:00 a 17:30. ¡Te esperamos!

D de deportes
- ¿Por qué seguir durmiendo los sábados por la mañana? Puedes apuntarte a nuestro club de senderismo. Excursiones todos los sábados de 8:30 a 13:30 ¡con las zapatillas puestas!
- ¿Sabes nadar? Puedes darte un chapuzón en nuestra piscina de lunes a viernes, de 19:00 a 21:00, descuento para estudiantes.

I de idiomas
- ¿Quieres conocer a chicos y chicas de otros países? Puedes intercambiar conversación en tu idioma con otros. Sábados de 16:00 a 19:00. ¡Contamos contigo!
- ¿Quieres mejorar tu español? Te esperamos los martes y jueves de 17:00 a 19:30. ¡Profesores preparados y compañeros divertidos!

I de informática
- Aprende a crear páginas web con nosotros. Puedes visitar nuestra página y dar una clase gratis. Estamos "online" de lunes a jueves, de 16:30 a 18:00. Tú eliges los dos días mejores para ti.
- Te proponemos clases prácticas de Word, Internet... Te esperamos todos los martes y viernes de 15:30 a 16:30.

M de música
- ¿Tocas algún instrumento? Puedes ponerte en contacto con nosotros. Estamos formando un grupo. Queremos ensayar todos los sábados de 10:00 a 13:30. ¡Ánimo!
- ¿Quieres aprender a tocar? Clases individuales y en grupo de una gran variedad de instrumentos. Lunes y jueves de 18:00 a 20:30.

T de taller
- Con un poco de imaginación, puedes construir millones de mundos imaginarios. Participa en nuestro taller de escritura. Todos los viernes de 16:30 a 18:30.
- Grupo de teatro busca nuevos componentes. Ensayamos todos los miércoles de 17:00 a 19:30.

	V	F
1. En "A de arte" puedes apuntarte a dibujo, fotografía y escultura.	☐	☑
2. Un grupo de música da clases individuales y en grupo.	☐	☐
3. Para construir páginas web puedes conectarte todos los lunes, martes, miércoles y jueves por la tarde.	☐	☐
4. En "T de taller" todos los viernes de 16:30 a 18:30 puedes participar en el cine-forum.	☐	☐
5. Las clases de español son los martes y jueves. Duran una hora y media.	☐	☐
6. El club de montañismo organiza excursiones todos los sábados por la mañana.	☐	☐

notas

2 Selecciona tres actividades teniendo en cuenta tu horario y tus preferencias. ¿Qué crees que vas a hacer en cada una? Escríbelo en tu cuaderno.

> IDIOMAS: ESPAÑOL
> Puedo ir a español.
> Voy a hablar con los compañeros de clase, escuchar canciones...

3 Antonio, Marta, Carmen y Luis quieren apuntarse a varias actividades. Observa los anuncios del ejercicio 1 y completa los siguientes diálogos con la frase correspondiente.

¿Cuándo son las clases?

Es que entre semana no puedo.

Quiero aprender más español.

Es que los sábados no puedo.

¿Y cuándo ensayan?

¿Quieres apuntarte al club de senderismo?

Todos los sábados de 8:30 a 13:30.

No, los martes y los viernes.

Puedes apuntarte a clases de informática.

Antonio:
Virginia: Bueno, pero ¿cuándo organizan las excursiones?
Antonio:
Virginia: ¡Ni hablar! Es muy pronto.

Marta: ¿Has leído "M de música"? Pues buscan chicos y chicas para el grupo de María.
Diana:
Marta: Los sábados de 10:00 a 13:30. ¿Quieres venir conmigo?
Diana:
Marta: ¿Y si vamos a fotografía? También me quiero apuntar.

Roberto:
Carmen: Yo también. Me han dicho que en "I de idiomas" los profes son muy buenos y te lo pasas muy bien en las clases.
Roberto:
Carmen: Los martes y jueves de 17:00 a 19:30.
Roberto:
Carmen: Pues podemos intercambiar idioma los sábados.

Luis: ¡Ya tengo ordenador! Ahora me toca ¡aprender a usarlo!
Tomás:
Luis: Sí, ¡qué buena idea! ¿No eran los miércoles y viernes?
Tomás:
Luis: No, los martes no puedo. ¿Y si nos apuntamos a diseño de páginas *web*?

4 **a. Antonio, Marta, Carmen y Luis no han conseguido organizarse con sus amigos. Vamos a ver si lo solucionan entre ellos. Contesta a las preguntas teniendo en cuenta los horarios de las actividades.**

1. Antonio quiere apuntarse a **senderismo**. ¿Puede apuntarse con Carmen?

2. Marta quiere apuntarse a **teatro**. ¿Puede apuntarse con Luis?
   También quiere apuntarse a **fotografía**. ¿Puede apuntarse con Carmen?

3. Carmen quiere aprender **español.** ¿Puede apuntarse a clase con Marta?
   Si no, ¿pueden **intercambiar** juntas **conversación**?

4. Luis quiere apuntarse a **informática**. ¿Puede apuntarse con Carmen?
   Si no, ¿puede apuntarse a **diseño de páginas** *web* con Antonio?

b. ¿Qué soluciones propones tú? Escríbelas.

Antonio ....

Marta ....

Carmen ....

Luis ....

5 **Completa las letras que faltan en estas actividades para el tiempo libre y relaciónalas con la ilustración. Después, únelas con el verbo con el que se usan y escríbelas en tu cuaderno.**

h.

a.

b.

c.

1. A J E D R E Z - b.
2. _ A T _ _ Á _ I C _ S
3. _ O T _ _
4. A E _ O _ I _
5. _ E B _ _ S
6. _ N T _ _ N _ T
7. C _ RR _ OS _ _ E _ T _ Ó _ I _ O _   d.
8. B _ T E _ _ A

g.

f.

e.

Leer
Tocar
Estudiar
Practicar
Hacer
Escribir
Jugar
Navegar

notas

notas ✏️

6 Te han enviado estos mensajes. Queda con las personas o da una excusa por escrito en tu cuaderno.

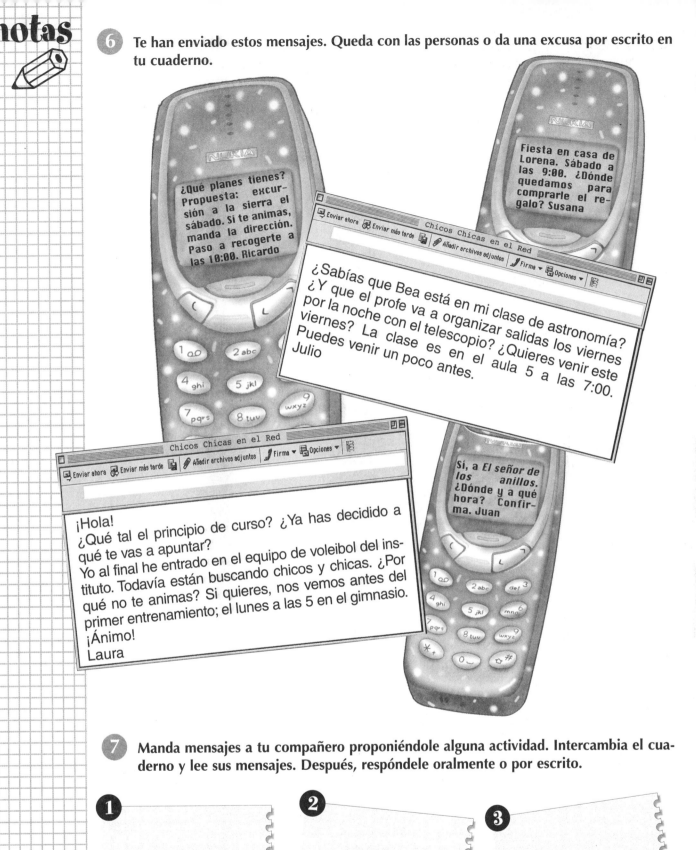

¿Qué planes tienes? Propuesta: excursión a la sierra el sábado. Si te animas, manda la dirección. Paso a recogerte a las 10:00. Ricardo

Fiesta en casa de Lorena. Sábado a las 9:00. ¿Dónde quedamos para comprarle el regalo? Susana

Enviar ahora 🖳 Enviar más tarde 📋 🖉 Añadir archivos adjuntos │ 🖋 Firma ▾ 🗗 Opciones ▾

Chicos Chicas en el Red

¿Sabías que Bea está en mi clase de astronomía? ¿Y que el profe va a organizar salidas los viernes por la noche con el telescopio? ¿Quieres venir este viernes? La clase es en el aula 5 a las 7:00. Puedes venir un poco antes.
Julio

Chicos Chicas en el Red

Enviar ahora 🖳 Enviar más tarde 📋 🖉 Añadir archivos adjuntos │ 🖋 Firma ▾ 🗗 Opciones ▾

¡Hola!
¿Qué tal el principio de curso? ¿Ya has decidido a qué te vas a apuntar?
Yo al final he entrado en el equipo de voleibol del instituto. Todavía están buscando chicos y chicas. ¿Por qué no te animas? Si quieres, nos vemos antes del primer entrenamiento; el lunes a las 5 en el gimnasio.
¡Ánimo!
Laura

Sí, a El señor de los anillos. ¿Dónde y a qué hora? Confirma. Juan

7 Manda mensajes a tu compañero proponiéndole alguna actividad. Intercambia el cuaderno y lee sus mensajes. Después, respóndele oralmente o por escrito.

1

2

3

notas

1 Localiza las palabras en la sopa de letras. Consulta el diccionario si lo necesitas.

Fuente
Calle
Plaza
Parque
Paso de cebra
~~Semáforo~~

D	S	E	M	Á	F	O	R	O	W	I	K	B	C
V	G	L	C	P	U	T	E	L	L	A	N	A	P
V	G	B	J	O	E	Ñ	D	W	R	A	Z	F	H
F	J	Ñ	P	Y	N	B	D	B	S	D	I	O	L
L	K	A	L	L	T	E	E	L	Ñ	D	R	F	T
A	N	M	M	K	E	C	J	A	E	N	P	H	C
N	M	K	O	O	E	A	D	O	H	N	L	A	K
L	A	S	R	D	N	L	N	E	U	J	A	B	I
N	N	K	O	Ñ	I	L	Ñ	N	I	V	Z	A	Y
A	G	S	Ñ	J	K	E	D	H	H	I	A	C	R
G	A	P	P	R	L	I	M	O	N	N	O	U	M
P	A	R	Q	U	E	A	L	X	B	O	C	K	J

2 Completa las series con verbos que conoces.

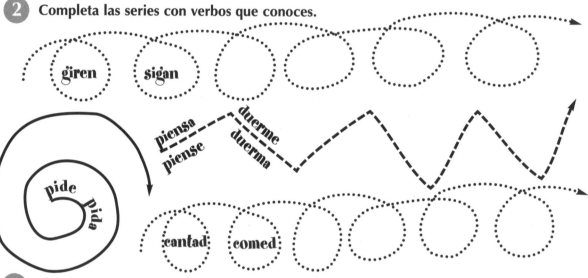

giren · sigan

piensa / piense · duerme / duerma

pide / pida

cantad · comed

3 Relaciona la ilustración con el Infinitivo. Después, da la instrucción correspondiente utilizando "tú" y "usted".

1. Seguir · 2. Girar/Torcer
3. Cruzar · 4. Bajar
5. Subir · 6. Salir
7. Entrar

☐ ....

4. Bajar
Baja (tú) ....
Baje (usted) ....

☐ ....

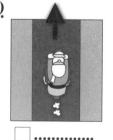

☐ ....

☐ ....

☐ ....

☐ ....

4 **a. Selecciona una acampada según tus preferencias. ¿Qué equipo llevarías?**

MAYO

Canoas
1-2 Descenso del río Sella
(Asturias)

MARZO

Trekking
20-24 Pirineo Aragonés
(Huesca)

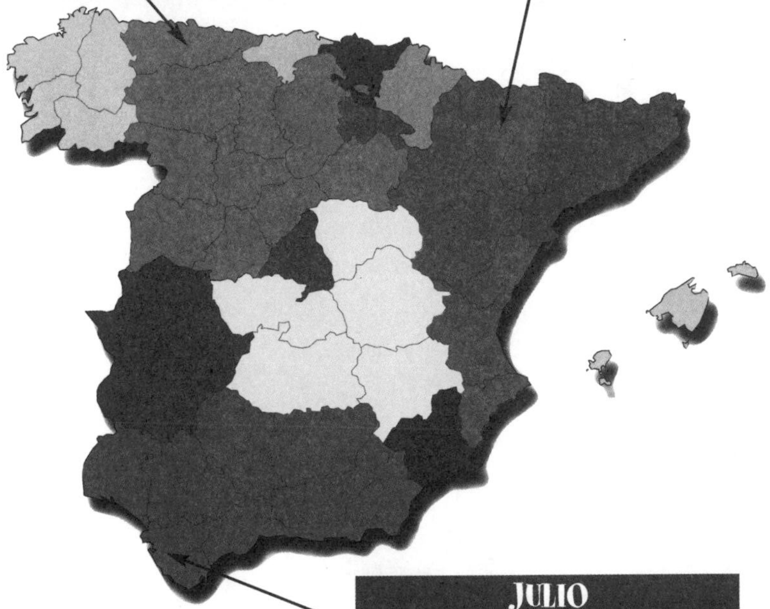

☐ Mochila
☐ Calcetines de lana
☐ Canoa
☐ Cazadora
☐ Gafas de sol
☐ Camiseta
☐ Salvavidas
☐ Impermeable
☐ Saco de dormir
☐ Caramelos, chocolates
☐ Tabla de *surf*
☐ Calzado de *trekking*
☐ Bañador
☐ Jersey de lana
☐ Crema solar
☐ Brújula
☐ Guantes

JULIO

Surf
1-10 Tarifa
(Cádiz)

b. ¿Quieres ser un campista responsable? Completa la lista con los verbos adecuados en Imperativo (vosotros).

cerrar

consultar

informar

escoger

lavar

llevar

~~proteger~~

1 **Proteged** vuestra piel del sol mediante una crema solar y la cabeza con un sombrero y un gorro.

2 _____ las previsiones metereológicas para llevar la ropa adecuada.

3 _____ a algún familiar de los planes y el lugar de acampada.

4 _____ un equipo de primeros auxilios.

5 _____ la puerta de la tienda para evitar la entrada de insectos, animales peligrosos...

6 _____ la ropa en casa o en el *camping*: los productos de limpieza dañan el medio ambiente.

7 _____ un lugar llano y elevado para evitar los charcos o inundaciones.

notas

5 **a. Observa los siguientes símbolos. ¿Qué crees que hay en Sevilla?**

Museo, galería

Iglesia, catedral

Castillo, fortaleza

Parque de atracciones

Aeropuerto

Puerto fluvial

i
Información turística

Edificio histórico

Parque, jardín

Mercado

Estación de trenes

Autobús

M
Metro

Playa

Camping

b. Ahora, observa el mapa de una parte del casco histórico de Sevilla. ¿Qué hay?

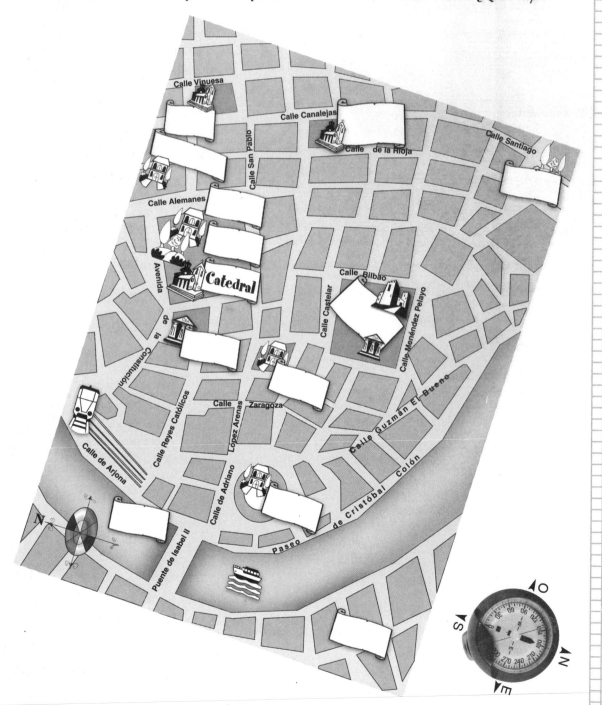

notas

6 Te proponemos un paseo por Sevilla muy singular. Completa el siguiente texto con los Imperativos que faltan. Después localiza los monumentos en el mapa de la página 14.

Un poco de historia

La *Catedral de Sevilla* se construye en los siglos XV y XVI sobre los restos de la antigua *Mezquita Mayor*. Es el tercer edificio religioso más grande en extensión del mundo cristiano.

A vista de pájaro: ruta panorámica

Entra (entrar) en el conjunto arquitectónico desde la *calle Alemanes* por la *Puerta del Perdón*. Estás en el *Patio de los naranjos*: si es primavera disfrutarás del olor de las flores. A continuación _____ (subir) a la *Torre de la Giralda*, un minarete de la *Mezquita* árabe del siglo XII. Desde allí _____ (contemplar) toda la ciudad de Sevilla.

Al norte _____ (observar) la *Plaza de San Francisco* con el *Ayuntamiento* y la *Iglesia del Salvador*. Al este _____ (mirar) la *calle de Mateos Gago,* que desemboca en el *barrio de Santa Cruz*.

Al sur, a tu izquierda, _____ (admirar) el Alcázar, a tu derecha el *Archivo de Indias* y al fondo _____ (disfrutar) con la vegetación del *Parque de María Luisa* y las torres de la *Plaza de España*.

Al oeste, _____ (descubrir) la *Plaza de Toros* y el *Puente de Isabel II*: _____ (cruzar) el puente y _____ (conocer) el fascinante *barrio de Triana*. _____ (salir) y _____ (contemplar) la belleza de la *Catedral* desde la *Plaza de los Reyes*.

notas

1 a. **Deriva las siguientes palabras. Después, observa el mapa de la página 32 del Libro del alumno y marca las tiendas que hay.**

Papel   Papelería ☐

Helado   .... ☐

Carne   .... ☐

Pastel   .... ☐

Libro   .... ☐

Fruta   .... ☐

Pan   .... ☐

Zapato   .... ☐

Pollo   .... ☐

Huevo   .... ☐

Pescado   .... ☐

b. **Completa las siguientes frases con "hay" o "está" y el nombre de la tienda. Para cada tienda hay dos frases: agrúpalas como en el ejemplo.**

a. La **carnicería** está al lado de la farmacia. Justo delante **hay** un puesto de periódicos.

b. Vas a la _____ y compras pan. La más cercana _____ cerca del restaurante.

c. ¿Ves el coche naranja? Pues justo detrás _____ una _____.

d. _____ una _____ riquísima entre la frutería y la peluquería.

e. Tienes que ir a la _____: no _____ mariscos para la paella.

f. La _____ que dices tú es también librería. _____ al lado de la pescadería.

1. **Hay** una **carnicería** detrás del polideportivo, al lado de una farmacia. ¿Sabe dónde _____ el polideportivo?

2. El cuaderno lo compras mejor en la _____. _____ una detrás de la carnicería.

3. ¿Compramos la tarta en la _____ del barrio? _____ muy cerca del súper.

4. ¿Que no sabes dónde _____ la _____? _____ al lado de la librería.

5. Para la sangría necesito naranjas. Las puedes comprar en la _____ que _____ al lado de la pastelería.

6. ¿Que dónde _____ una _____? La de Carlos _____ haciendo esquina con la farmacia.

c. **Selecciona dos tiendas y escribe dos pequeños diálogos como en 1b.**

1. • ....
   ○ ....

2. • ....
   ○ ....

2 a. ¿De qué están hablando? Relaciona.

1. Lo puedes comprar en el supermercado. También lo puedes preparar tú con un exprimidor.
2. Las tomas cuando no te encuentras bien. No es necesario ir al médico para que te las recete.
3. Lo puedes adornar con velas. Para comerlo, primero las tienes que soplar y luego quitarlas.
4. Te los pones todo el año. Son muy conocidos: los usan muchas personas.
5. La puedes utilizar cuando te equivocas. Si la olvidas en casa, se la puedes pedir a un compañero. Seguro que la tiene en su estuche.
6. Cuando no los comes rápido, se derriten. Si los quieres conservar, tienes que meterlos en el frigorífico.
7. La hay de muchas formas, pero la más conocida es alargada. Cuesta poco y acompaña la comida.
8. Lo puedes comprar todos los días. Cuesta poco y lo puedes leer en cualquier momento: mientras desayunas, en el metro...

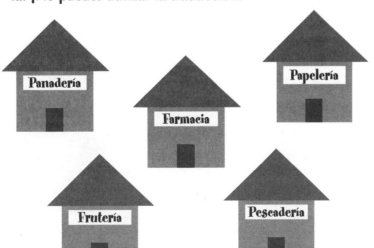

1

b. ¿Dónde se pueden comprar estos productos? Escríbelo en tu cuaderno.

El zumo de naranja lo puedes comprar en el supermercado.

3 Con la ayuda del diccionario escribe productos que se puedan comprar en estas tiendas. Después, ponlo en común con tu compañero: si no entiende alguna palabra explícasela. ¡No puedes utilizar la traducción!

Panadería

Farmacia

Papelería

Frutería

Pescadería

El pegamento lo puedes comprar en la papelería.

¿Qué es el pegamento?

Lo puedes usar cuando se rompe algo para arreglarlo. También se usa en clase.

4 a. Observa la ilustración y busca los productos de la lista. ¿Qué ingredientes faltan? Después, completa las frases con la preposición adecuada.

Para la tortilla
1/2 kg de patatas
1 cebolla
1/4 l de aceite de oliva
6 huevos
Sal

Para el gazpacho
1 Kg de tomates
1/4 de pepinos
1/4 de pimientos
2 cebollas
1 diente de ajo
Pan blanco
100 ml de aceite de oliva
5 cominos
Pimentón dulce
De 1/4 a 1/2 litro de agua

al lado del   detrás de las

a la izquierda   detrás del

entre los   delante de los   encima de la

A ver, a ver... ¿Hay cebollas? Sí, hay una .... pimiento y otra .... pepino. ¿Y los huevos? ¡Ah! Están .... espaguetis y el queso, pero son pocos: tengo que comprar media docena.

¿Y para el gazpacho? Pepino hay, el ajo está .... espaguetis. El pan, el pan... No hay, tengo que comprar una barra. ¿Aceite? ¡Tampoco! Hay que comprar una botella. ¡Ah! ¿Y las especias? A ver... Sí, el comino está .... y el pimentón .... ¿Falta algo más? Espero que no.

b. Lee las siguientes descripciones de platos típicos españoles y relaciona cada texto con la lista de ingredientes de 4a.

COCINA ESPAÑOLA

1. Para muchas personas este es el plato nacional por excelencia: es económico, fácil de preparar y se puede servir frío o caliente. Se come como entrante o plato principal, también como tapa o pincho. Muchos no se ponen de acuerdo en si debe llevar cebolla o no. A algunos la cebolla no les gusta, otros la defienden: está más jugosa.

2. Hoy por hoy es el plato andaluz más conocido en el mundo. En España es muy frecuente tener durante el verano en la nevera una jarrita de esta riquísima crema fría. Se puede tomar como primer plato o a lo largo del día como tentempié. Es refrescante, ligero, nutritivo y saludable.

5 **a. Calcula las distancias entre las siguientes ciudades europeas y escríbelas en letras.**

	Amst.	Aten.	Ber.	Bru.	Copen.	Estoc.	Hel.	Lis.	Lon.	Lux.	Mad.	Par.	Ro.	Vie.
Amsterdam	0	3017	760	204	755	674	1831	2301	540	1735	1765	494	1718	1181
Atenas	3017	0	2252	2931	3051	3643	4003	4559	3298	2539	3945	3025	2450	1922
Berlín	760	2250	0	754	445	1866	1450	2887	1093	768	1563	560	955	858
Bruselas	204	2931	754	0	945	1584	1943	2092	378	216	1559	296	1527	1164
Copenhague	755	3051	445	945	0	644	1030	3045	1306	947	2495	1249	2046	1079
Estocolmo	674	3643	1866	1584	644	0	394	2723	1947	1571	3163	1903	2643	1727
Helsinki	1831	4003	1450	1943	1030	394	0	4076	2381	1931	3538	2275	3071	2038
Lisboa	2301	4559	2887	2092	3045	2723	4076	0	2279	2124	653	1798	2720	2970
Londres	540	3298	1093	378	1306	1947	2381	2279	0	590	1721	455	1870	1508
Luxemburgo	1735	2539	768	216	947	1571	1931	2124	590	0	1592	332	1329	964
Madrid	1765	3945	1563	1559	2495	3163	3538	653	1721	1592	0	1260	2086	2444
París	494	3025	560	296	1249	1903	2775	1798	455	332	1260	0	1437	1296
Roma	1718	2450	955	1527	2046	2643	3071	2720	1870	1329	2086	1437	0	1251
Viena	1181	1922	858	1164	1079	1727	2038	2970	1508	964	2444	1296	1251	0

- De Lisboa a Madrid hay ....
- De Roma a Berlín hay ....
- De París a Londres hay ....
- De Atenas a Amsterdam hay ....
- De Estocolmo a Helsinki hay ....
- De Copenhague a Luxemburgo hay ....
- De Viena a Bruselas hay ....

b. Ahora, establece comparaciones entre las distintas capitales.

Londres está más lejos de Madrid que Lisboa.
....
....
....

6 **Sigue las instrucciones y completa las series con los números. Después, díselas a tu compañero. ¡Es mejor escribir los números en letras!**

a. A veinte euros súmale números impares de dos cifras: 20 + 13 = 33, 33 + 15= 48...
Veinte más trece = treinta y tres euros. Treinta y tres más quince = cuarenta y ocho euros...

b. A dos millones ochocientos setenta y siete mil bolívares réstale números impares de tres cifras:
....

c. A cinco euros multiplícale múltiplos de diez:
....

d. A mil quinientos diecisiete soles réstale números pares de tres cifras:
....

e. A siete millones doscientos veinte mil pesos súmale números pares de cuatro cifras:
....

f. A novecientos bolívares divídelos siempre entre diez:
....

unidad 3
lección 5

1 Completa estas palabras con las vocales que faltan y relaciónalas con la ilustración.

1. B **O** L S **O**
2. C _ L C _ T _ N _ S
3. C _ N T _ R _ N
4. F _ L D _
5. D _ P _ R T _ V _ S
6. Z _ P _ T _ S
7. S _ D _ D _ R _
8. B _ T _ S

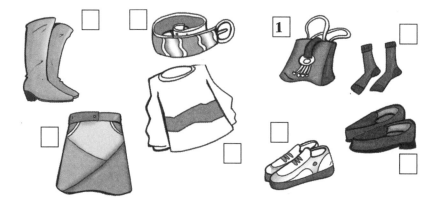

2 Completa con el demostrativo y la prenda de vestir.

1.

Aquel bolso

Este _bolso_

5.

....

2.

....

6.

....

3.

....

....

7.

....

4.

....

8.

....

3 Relaciona las palabras con su significado. Usa el diccionario si lo necesitas.

1. Los pendientes   a. Se lleva alrededor del cuello.
2. La bufanda   b. Se ponen en las manos.
3. Las sandalias   c. Se ponen en los pies.
4. El reloj   d. Se usa para hacer deporte.
5. Los guantes   e. Se pone para ir a la piscina.
6. El impermeable   f. Se ponen en las orejas.
7. El chándal   g. Se usa para la lluvia.
8. El gorro   h. Se lleva en la muñeca.
9. El bañador   i. Se pone en la cabeza.

4 Indica la palabra intrusa en cada cajita. Después, escribe tres palabras más en cada una.

PARA EL FRÍO
El abrigo
La bufanda
El bañador
El gorro
Los guantes
La cazadora
....
....
....

PARA EL CALOR
La camiseta
El bikini
Las sandalias
El impermeable
El *top*
....
....
....

ACCESORIOS
El sombrero
Las gafas
El jersey
Los pendientes
El reloj
....
....
....

PARA ESTAR EN CASA
El vestido
La camiseta
Los vaqueros
El chándal
Los pantalones
....
....
....

5 Observa las ilustraciones. Completa con la palabra y el pronombre demostrativo adecuado.

1

Enrique: La camiseta ya está. Ahora faltan las ⬚zapatillas⬚ .
Sofía: ¿Qué tal ⬚⬚⬚ lisas? Van con todo.
Enrique: Bueno, no están mal, pero prefiero ⬚⬚⬚ otras.
Sofía: Sí, la verdad es que ⬚⬚⬚ son más bonitas.
Enrique: Y ¿cuánto cuestan?
Sofía: No sé, no tienen el precio. Vamos a preguntar.

2

Manuel: ¡Cuántos ⬚⬚⬚ ! Va a ser difícil elegir. ¿Te gustan ⬚⬚⬚ negros?
Laura: No mucho, la verdad.
Manuel: Sí, tienes razón, son demasiado elegantes.
Laura: ¿Y ⬚⬚⬚ del medio? No están mal, ¿no?
Manuel: Pues a mí, para usarlos todos los días me gustan más ⬚⬚⬚ últimos, los de la derecha.
Laura: No, ⬚⬚⬚ no, que tengo un par muy parecidos.
Manuel: ¿Y no te compras ninguno?
Laura: Prefiero ver otra tienda.

1 a. ¿Recuerdas? Completa el vocabulario.

de lana

b. Observa este escaparate. Después, completa los diálogos con el tipo de telas y estampados del ejercicio anterior.

Verónica

Sofía

Verónica: Quiero comprarme una camiseta. ¿Qué te parece esta _____?
Sofía: Un poco pequeña. ¿Y esa _____? ¡Es preciosa!

Sofía: Necesito una camisa. Esta _____, ¿qué te parece?
Verónica: Demasiado grande. Mira aquella _____. Me gusta más.

Sofía: No tengo ninguna falda _____. ¿Me compro aquella, la larga?
Verónica: ¡Es larguísima! ¿Por qué no te compras la corta?

Verónica: ¡Qué vestido tan bonito el _____!
Sofía: Pero... ¡es carísimo! ¿No te gusta ese otro, el _____?

Sofía: Me hace falta un jersey para el invierno. Aquel _____ no está mal.
Verónica: Para el invierno... ¡Mejor este _____! ¿No?

2 Y tú, ¿qué necesitas?, ¿qué te quieres comprar? Observa el escaparate y decide.

> La camiseta lisa me la compro: necesito una.
> La de rayas no me la compro: es un poco cara.
>
> ....
> ....
> ....
> ....
> ....
> ....
> ....

3 Relaciona con la frase opuesta. Después, escribe los superlativos.

1. Es muy caro.
2. Es muy antipático.
3. Es muy alto.
4. Es muy tonto.
5. Es muy bueno.
6. Es muy estrecho.
7. Es muy pequeño.

a. Es muy bajo.
b. Es muy malo.
c. Es muy barato.
d. Es muy grande.
e. Es muy listo.
f. Es muy ancho.
g. Es muy simpático.

Es carísimo / Es baratísimo.

4 Completa los siguientes diálogos con las frases de la lista.

¡Qué baratos!   No, es grandísimo.   ¡Qué caro!

Sí, son estrechísimos.   No, es feísima.   ¡Qué bonitas!

- Este vestido cuesta 120 euros.
  ○ ....

- Estos vaqueros me aprietan.
  ○ ....

- Esta falda no me gusta.
  ○ ....

- Este jersey no me queda muy bien.
  ○ ....

- Estos calcetines cuestan 1 euro.
  ○ ....

- Estas deportivas me gustan mucho.
  ○ ....

5 **¿De qué están hablando? Relaciona el diálogo con la palabra.**

1
• ¿Te la compras o no te la compras?
○ Claro que me la compro, ¡con el frío que hace!

2
• ¿Qué os parece este azul?
○ ¡Precioso! Te lo puedes poner para ir a la playa y también a la piscina.

3
• ¿Me lo pruebo?
○ Pues claro, si no te lo pruebas y luego no te gusta...

4
• ¿Se la regalamos? La que tiene está rota.
○ Sí, y se la damos hoy, así puede meter los libros.

5
• ¿Nos las compráis? ¡Son preciosas!
○ Bueno, os las compramos, pero más bajitas, estas son muy altas.

6
• ¿Se los vais a dar ya? Son para los Reyes.
○ Sí, es que se van a la montaña mañana y seguro que los van a necesitar.

7
• ¡Yo me pongo los azules!
○ No, anda, los azules me los pongo yo y tú te pones los verdes, ¿vale?

8
• ¿Y si el oculista me dice que me las tengo que poner?
○ Bueno, pues vamos a la óptica y compramos las más bonitas.

❑ el gorro ❑ los guantes ❑ las sandalias ❑ los pendientes
❑ las gafas ❑1 la bufanda ❑ la mochila ❑ el abrigo

6 **Sustituye la palabra en negrita por el pronombre de objeto directo correspondiente.**

• Me leo un libro. **Me lo leo.**
• Nos repasamos los esquemas. ....
• Os estudiáis la lección. ....
• Se apuntan los deberes. ....
• Te aprendes las tablas. ....
• Se escribe el resultado. ....
• Me hago un ejercicio. ....
• Os dibujáis los diagramas. ....
• Te resumes la unidad. ....
• Nos copiamos las respuestas. ....

1 a. ¿Recuerdas la casa de Eva? Indica el nombre de cada habitación.

1 _____   4 _____   7 _____

2 _____   5 _____   8 _____

3 _____   6 _____

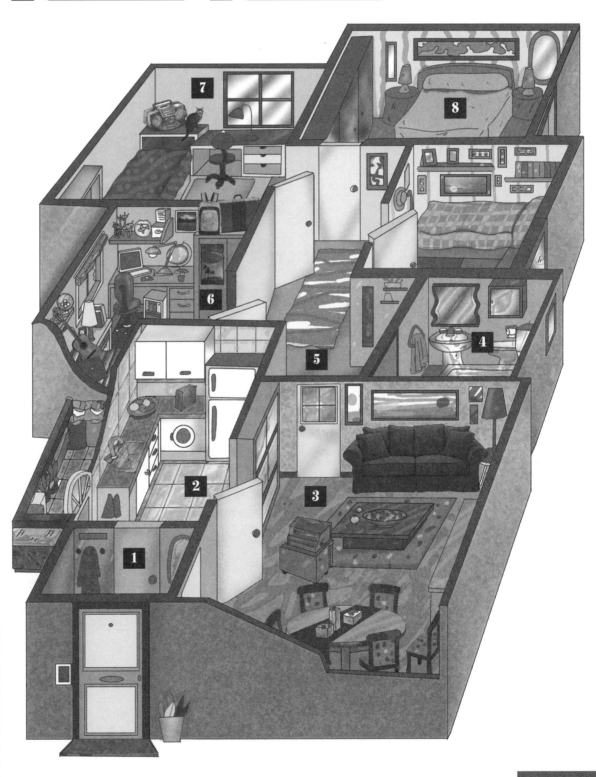

b. Localiza estos objetos en el dibujo de 1a. Después, completa las frases con la preposición adecuada y el artículo si es necesario.

El abrigo   La guitarra   El gato   La alfombra

El frutero   El sofá   El ordenador   La nevera

1. La guitarra está **encima de la** cama de Eva.
2. La alfombra está _____ habitación de Eva y la del abuelo.
3. El abrigo de cuadros está _____ puerta.
4. El ordenador está _____ ratón.
5. El sofá está _____ cuadros.
6. El gato está _____ aparato de música.
7. La nevera está _____ lavadora.
8. La fruta está _____ frutero.

2 **Eva ha perdido algunos objetos. Ayúdala a encontrarlos en su casa.**

- ¿Dónde está el sombrero del abuelo?
  ○ ....

- Y la pecera, ¿dónde está?
  ○ ....

- ¿Hay velas en casa?
  ○ ....

- No encuentro mi mochila.
  ○ ....

- Tampoco encuentro mi despertador.
  ○ ....

3 **a. ¿Quieres saber cómo es la casa de Camila? Lee la descripción y dibuja su casa.**

Mi casa es muy parecida a la de Eva: ¡vivimos en el mismo edificio! Hay un pequeño recibidor: justo enfrente está la cocina y a la derecha el salón-comedor. Cruzando el salón hay un pasillo: la primera habitación a la derecha es la mía, la segunda es la de mis padres; a la izquierda hay un baño grande y después está la habitación de mi hermano, siempre a la izquierda, justo enfrente de la de mis padres. Al fondo del pasillo hay un baño pequeño. ¡Ah! También hay dos terrazas, una grande en el salón y una más pequeña en la cocina. ¿Te gusta mi casa?

b. Ahora, intercambia el cuaderno con tu compañero. ¿Habéis dibujado lo mismo?

4 **a. Completa.**

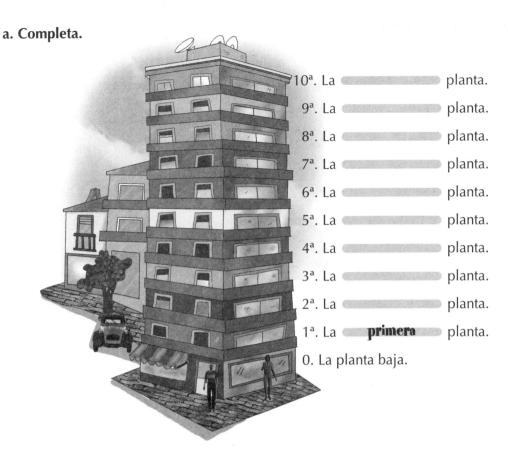

10ª. La ⬤⬤⬤⬤⬤⬤ planta.

9ª. La ⬤⬤⬤⬤⬤⬤ planta.

8ª. La ⬤⬤⬤⬤⬤⬤ planta.

7ª. La ⬤⬤⬤⬤⬤⬤ planta.

6ª. La ⬤⬤⬤⬤⬤⬤ planta.

5ª. La ⬤⬤⬤⬤⬤⬤ planta.

4ª. La ⬤⬤⬤⬤⬤⬤ planta.

3ª. La ⬤⬤⬤⬤⬤⬤ planta.

2ª. La ⬤⬤⬤⬤⬤⬤ planta.

1ª. La **primera** planta.

0. La planta baja.

b. ¿Dónde vive la familia de Eva? Para adivinarlo localiza todas las familias de este edificio. Una pista: en la planta que no se nombra vive la familia de Eva, los Gómez.

La familia González vive en la última planta, encima de la familia Díaz.

La familia Ramírez vive tres plantas más abajo que la familia Pérez.

La familia Fernández vive entre la planta baja y la familia Gutiérrez.

La familia Martínez vive debajo de la familia Hernández.

La familia Jiménez vive dos plantas más arriba que la familia Fernández.

La familia Pérez vive entre la familia Díaz y la familia Hernández.

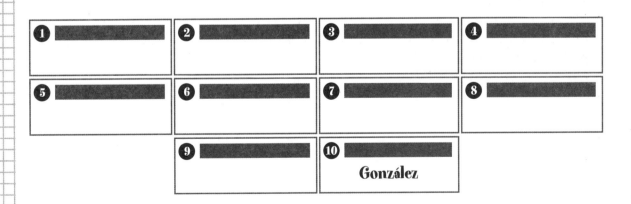

❶ ⬛⬛⬛⬛⬛⬛

❷ ⬛⬛⬛⬛⬛⬛

❸ ⬛⬛⬛⬛⬛⬛

❹ ⬛⬛⬛⬛⬛⬛

❺ ⬛⬛⬛⬛⬛⬛

❻ ⬛⬛⬛⬛⬛⬛

❼ ⬛⬛⬛⬛⬛⬛

❽ ⬛⬛⬛⬛⬛⬛

❾ ⬛⬛⬛⬛⬛⬛

❿ **González**

Soluciones: 1º Fernández; 2º Gutiérrez; 3º Jiménez; 4º Gómez; 5º Ramírez; 6º Martínez; 7º Hernández, 8º Pérez; 9º Díaz, 10º González.

1 Clasifica las palabras según el verbo con el que se pueden usar.

~~La compra~~   El baño   Los cristales   La comida   La cama

La mesa   La lavadora   El polvo   La lista

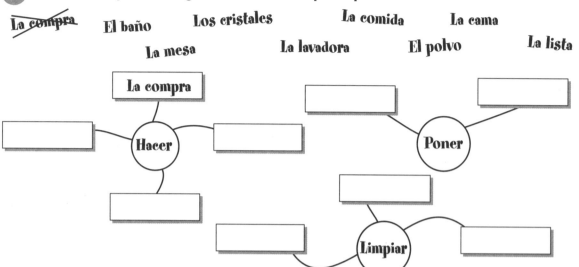

| La compra |
| Hacer |
| Poner |
| Limpiar |

2 a. Los padres de Marcos no llegan hoy hasta la hora de cenar. ¿Qué tareas le han dejado?

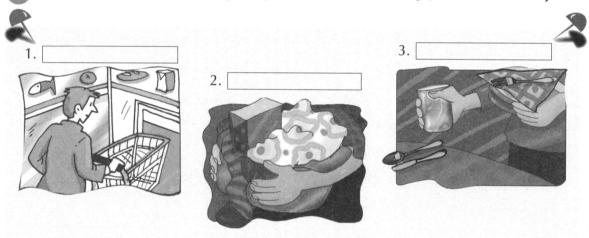

1.

2.

3.

b. Marcos no lo tiene muy claro. Ordena los pasos y después sustituye las palabras que se repitan por "lo", "la", "los" o "las".

A
- ☐ Ir al supermercado.
- ☐ No olvidarse la lista en casa.
- ☐ Comprar los productos controlando la lista.
- ① Hacer la lista de la compra.

B
- ☐ Tender la ropa mojada.
- ☐ Meter la ropa sucia en la lavadora.
- ☐ Sacar la ropa mojada.
- ☐ Conectar la lavadora.

C
- ☐ Poner las servilletas al lado de los platos.
- ☐ Poner el mantel en la mesa.
- ☐ Sacar las servilletas del cajón.
- ☐ Colocar los platos y los cubiertos.

3 Deriva las siguientes palabras. Después, relaciona la palabra con la ilustración.

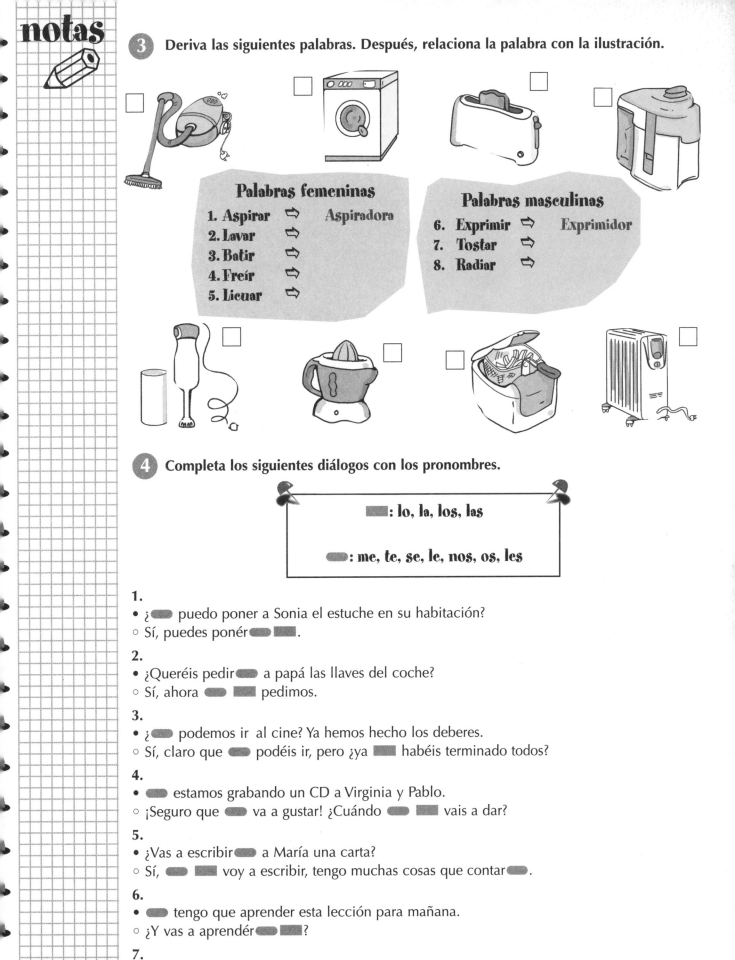

Palabras femeninas

1. Aspirar ⇨ Aspiradora
2. Lavar ⇨
3. Batir ⇨
4. Freír ⇨
5. Licuar ⇨

Palabras masculinas

6. Exprimir ⇨ Exprimidor
7. Tostar ⇨
8. Radiar ⇨

4 Completa los siguientes diálogos con los pronombres.

▬: lo, la, los, las

●: me, te, se, le, nos, os, les

1.
- ¿● puedo poner a Sonia el estuche en su habitación?
- Sí, puedes ponér● ▬.

2.
- ¿Queréis pedir● a papá las llaves del coche?
- Sí, ahora ● ▬ pedimos.

3.
- ¿● podemos ir al cine? Ya hemos hecho los deberes.
- Sí, claro que ● podéis ir, pero ¿ya ▬ habéis terminado todos?

4.
- ● estamos grabando un CD a Virginia y Pablo.
- ¡Seguro que ● va a gustar! ¿Cuándo ● ▬ vais a dar?

5.
- ¿Vas a escribir● a María una carta?
- Sí, ● ▬ voy a escribir, tengo muchas cosas que contar●.

6.
- ● tengo que aprender esta lección para mañana.
- ¿Y vas a aprendér● ▬?

7.
- ¿● prestas tus apuntes?
- No, no ● ▬ presto. Es que ● hacen falta.

5 **a. Vas a hacer un intercambio con Silvia, una chica española, y quieres llevar regalos para todos. Lee los textos y completa con "se" o "le".**

Es profesor en un instituto. ▩ encanta leer. También ▩ gusta coleccionar sellos: ¡▩ compra muchos!

Se llama Roberto: es el hermano pequeño. ▩ gusta mucho pintar y ver dibujos animados.

Es de quien sabes más cosas: os escribís correos electrónicos desde hace casi un año. ▩ gusta la música y también ir a conciertos con los amigos. ▩ encanta pasar los fines de semana en la montaña.

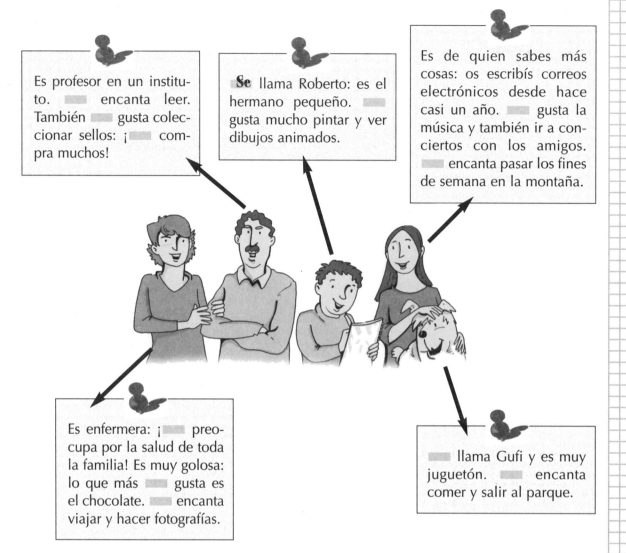

Es enfermera: ¡▩ preocupa por la salud de toda la familia! Es muy golosa: lo que más ▩ gusta es el chocolate. ▩ encanta viajar y hacer fotografías.

▩ llama Gufi y es muy juguetón. ▩ encanta comer y salir al parque.

b. Aquí tienes algunos regalos. Elige un regalo para cada uno. Explica tu elección y escribe frases en tu cuaderno.

El póster se lo regalo a Silvia porque...
La bufanda no se la regalo a Silvia porque...

c. ¿Se te ocurren otros regalos?

notas

1 a. ¿Recuerdas? Completa el vocabulario. Después clasifica estos alimentos en su grupo.

1. Dulces, postres y
   derivados lácteos

2 Judías verdes

2. Frutas y verduras:
3. Carne:
4. Legumbres:

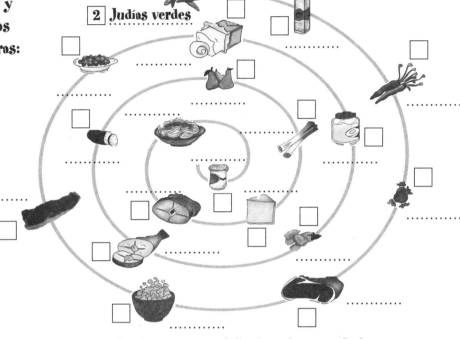

b. Ahora, busca otros nombres de alimentos en el diccionario y escríbelos en su grupo.

2 ¿Conoces estos platos típicos? Lee los siguientes textos. ¿Qué necesitas para comerlos? Cuchara, cuchillo, tenedor…

COCIDO

Prácticamente todos los países hispanos tienen dos cosas en común: el idioma y el cocido. Los nombres de este plato son muchos –puchero, olla, cocido, sancocho, ajiaco… También son muy variados sus ingredientes. Independientemente del país, el "cocido", como su nombre indica, parte de la idea de cocer juntas carnes, verduras y legumbres, obteniendo un plato de sopa, otro de vegetales y otro de carne. Su preparación no tiene mucha dificultad y, además, se cocinan ¡tres platos en uno!
En España, donde hay una gran variedad de cocidos, el más famoso es el madrileño.

PAELLA

La palabra "paella" proviene del recipiente donde se cocina y se sirve, una sartén plana y circular. Este es uno de los platos más conocidos de España. Es de origen valenciano. Probablemente, su fama se debe a la variada mezcla de mariscos mediterráneos, pollo y verduras. Además, la paella es económica, fácil de preparar, completa ¡y muy rica! Hay muchas variedades, aunque la más difundida es la paella mixta.

EMPANADA

La empanada es un plato gallego muy antiguo. Nace de la necesidad de transportar fuera de casa la comida de forma cómoda: es un guiso encerrado en un "recipiente comestible". La masa más típica se hace con harina de trigo. El relleno puede ser de carne, de pescado, de marisco, de legumbres o de verduras. Actualmente, se suelen comprar ya hechas en supermercados, panaderías… porque no es fácil de hacer.

3 a. ¿Estás en forma? ¿Llevas una vida sana? Haz el siguiente test.

notas

¿Llevas una vida sana?

1. Cuando me despierto por la mañana...
   a. ... me levanto rápidamente de la cama.
   b. ... tardo unos minutos en levantarme.
   c. ... me cuesta mucho ponerme de pie.

2. Después de subir y bajar las escaleras dos veces...
   a. ... estoy como antes: no me he cansado nada.
   b. ... descanso un momento y estoy como nuevo.
   c. ... necesito unos minutos para recuperarme.

3. En general, ¿cómo es tu alimentación?
   a. Irregular. Raciones abundantes. Consumo mucha grasa.
   b. Depende de mi humor.
   c. Buena. Raciones pequeñas. Mucha verdura y fruta.

4. ¿Cuándo ha sido la última vez que te has *reído sin parar*?
   a. Hoy o ayer.
   b. Hace un mes.
   c. Hace una semana aproximadamente.

5. ¿Practicas alguna actividad física?
   a. Sí, a menudo y de forma regular.
   b. De vez en cuando.
   c. Casi nunca.

6. ¿Qué ves antes? ¿Los problemas o las soluciones?
   a. Los problemas.
   b. Las soluciones.
   c. Depende de la situación.

7. ¿Te enfadas con facilidad?
   a. De vez en cuando.
   b. Sí.
   c. No.

8. Imagina un día sin televisión, radio, internet y móvil.
   a. Me pongo nervioso/a sólo de pensarlo.
   b. No me preocupa.
   c. Resisto, pero con esfuerzo.

9. ¿Te resulta fácil decir tres cosas de las que disfrutas verdaderamente?
   a. No. Tengo que pensarlo un rato.
   b. Sí. No tengo que pensarlo.
   c. Creo que sí.

10. ¿Haces lo que esperan los demás de ti?
    a. Sí, casi siempre.
    b. No, casi nunca.
    c. Depende de lo que tengo que hacer.

b. Calcula la puntuación y lee los resultados. ¿Estás de acuerdo?

PUNTUACIÓN

1. a. 1	b. 2	c. 3
2. a. 1	b. 2	c. 3
3. a. 3	b. 2	c. 1
4. a. 1	b. 3	c. 2
5. a. 1	b. 2	c. 3
6. a. 3	b. 1	c. 2
7. a. 2	b. 3	c. 1
8. a. 3	b. 1	c. 2
9. a. 3	b. 1	c. 2
10. a. 3	b. 1	c. 2

Si has obtenido:

– **Entre 10 y 17:** ¡Felicidades! No te cansas fácilmente, ¡seguro que energía no te falta! Sabes disfrutar de los amigos, de las cosas que te gustan, de tu familia... Te alimentas adecuadamente y llevas una vida muy equilibrada. ¡Sigue así, pero sin exagerar! De vez en cuando hay que concederse algún capricho.

– **Entre 18 y 23:** ¡No está mal! Tu nivel de energía es medio. Si te esfuerzas un poco más haciendo deporte y comiendo más sano, puedes aumentarla. Recuerda: *mens sana in corpore sano* (ya sabes, "mente sana en un cuerpo sano"). ¡Ánimo!

– **Más de 24:** ¿No estarás en época de exámenes? Tu nivel de energía es un poco bajo. Tienes que esforzarte para llevar una vida más sana. Necesitas más movimiento, una alimentación rica en vitaminas, dormir más ¡y preocuparte menos! ¡Tú puedes conseguirlo!

4 **a. Relaciona el vocabulario con las ilustraciones y calcula las calorías.**

VOCABULARIO

☑ Unos cereales: 350 calorías   ☐ Unos cereales: 250 calorías
☐ Galletas integrales: 45 calorías   ☐ Un zumo de piña: 55 calorías
☐ Un zumo de limón: 45 calorías   ☐ Galletas de chocolate: 98 calorías
☐ Una manzana al horno: 85 calorías ☐ Una manzana: 75 calorías

María

Total calorías: ☐

Marina

Total calorías: ☐

b. ¿María o Marina? Observa otra vez los desayunos y decide de qué están hablando y quién dice la frase. Después, completa con los pronombres posesivos.

Marina : **Las mías** tienen chocolate, **las tuyas** no.

.... : ▬▬▬▬▬ es de piña: es más dulce que ▬▬▬▬▬ .

.... : ▬▬▬▬▬ no es al horno, ¡me gusta más así! Me la puedo llevar para el recreo.

.... : ¡ ▬▬▬▬▬ no tienen chocolate porque las has terminado tú!

.... : ▬▬▬▬▬ es al horno, ¡está más rica!

5 **¡Por fin ha llegado el día de Reyes! Es 6 de enero y en España se dan los regalos. Imagina que tu hermano y tú vais a repartirlos. ¡Aseguraos antes de para quién es cada regalo!**

Regalos	Yo	Tu hermana	Mamá	Papá	Quique	Tu hermana y tú	Tu hermana y Quique
Unos guantes	X				X		
Un libro				X			
Una colonia			X				
Unos vaqueros		X					
Un videojuego			X				X
Unos pendientes		X					
Una impresora						X	

Los guantes son para mí. Son míos. Son los míos.
La impresora es para mí y para ti. Es nuestra. Es la nuestra.

unidad 5
lección 10

1 **a. En esta sopa de letras hay siete Participios irregulares. Búscalos.**

E	V	V	Q	U	E	T	D	A	D
A	B	I	E	R	T	O	E	I	E
A	N	S	I	N	U	A	O	O	S
N	C	T	T	D	C	T	C	C	C
I	I	O	A	I	I	I	R	B	R
P	G	A	E	R	I	C	I	A	I
U	U	S	C	U	M	A	H	R	T
E	A	S	L	A	A	N	O	O	O
S	E	C	H	O	S	T	H	O	R
T	A	V	A	F	R	E	T	C	Í
O	X	V	U	E	L	T	O	O	A
E	X	P	T	E	M	P	L	O	S

b. Ahora, escribe una frase con Pretérito Perfecto.

Abrir	Ha abierto la ventana.	
Decir		
Describir		
Escribir		
Hacer		
Poner		
Romper		
Ver		
Volver		

notas

2 Contesta a las siguientes preguntas. Puedes utilizar: "ya", "todavía no", "nunca", "una vez"... Después, intercambia el cuaderno con tu compañero.

- ¿Has visto la última película de Almodóvar?
○ Sí, ya la he visto. / No, todavía no.

- ¿Has visto alguna vez a Jennifer López?
○ No, nunca la he visto. / Sí, la he visto una vez.

1 ¿Has ido alguna vez al parque de atracciones?

2 ¿Has comprado el nuevo disco de Enrique Iglesias?

3 ¿Has saltado alguna vez en paracaídas?

4 ¿Has visto alguna vez a un extraterrestre?

5 ¿Has conocido alguna vez a alguien de habla hispana?

6 ¿Te has enamorado alguna vez?

3 Sigue las series con los verbos propuestos.

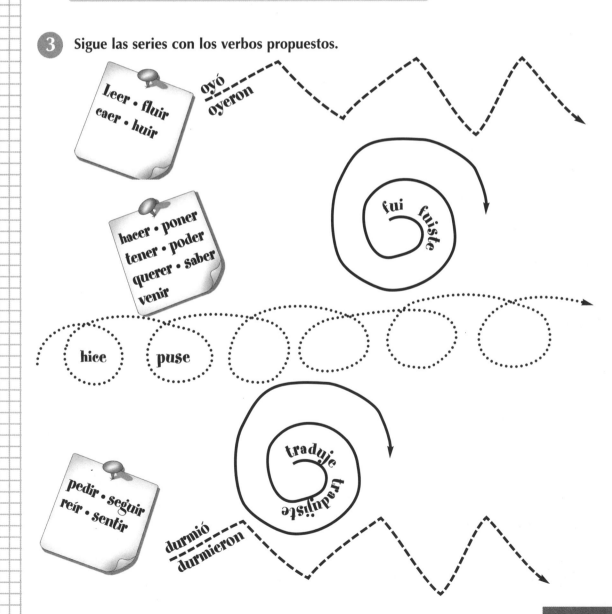

4 Raúl es un chico muy metódico y ordenado, pero la semana pasada su vida fue ¡un auténtico desastre! Transforma la frase y completa con el Pretérito Indefinido.

Inundarse las instalaciones

Pintar la casa

Sonar el despertador

~~Ser un desastre~~

Romperse

Pincharse el balón

- Todas las semanas hago lo mismo.
  La semana pasada **no hice lo mismo,** porque **¡fue un desastre!**
- Juego al baloncesto con mis amigos todos los viernes.
  Ayer _____ porque _____ .
- Nunca llego tarde al instituto.
  El jueves _____ porque no _____ .
- Siempre hago los deberes en mi casa con María.
  La semana pasada _____ porque _____ .
- Dos veces por semana voy a la piscina: los lunes y los miércoles de siete a ocho.
  El lunes y el miércoles _____ porque _____ .
- Todos los domingos veo la tele.
  El domingo _____ porque _____ .

5 ¿Y a ti? ¿Te ocurrió algo?

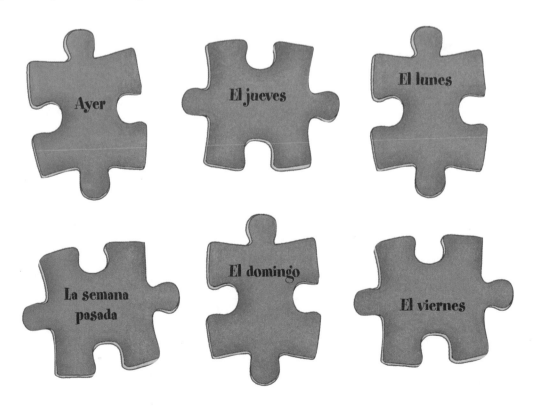

notas

6 **a. Irene está estudiando inglés fuera, en una escuela. Lee el correo electrónico que le escribe a Javier y subraya los marcadores temporales. Después, clasifícalos según el tiempo con el que aparecen.**

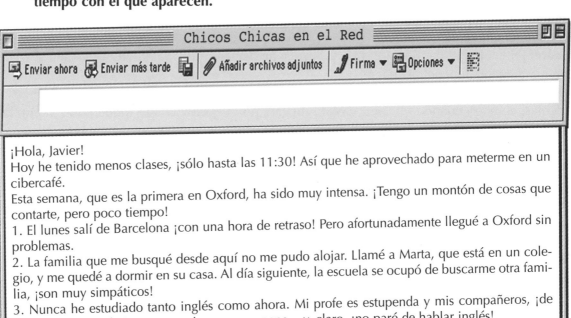

Chicos Chicas en el Red

Enviar ahora   Enviar más tarde   ▯ Añadir archivos adjuntos   Firma ▼ Opciones ▼

¡Hola, Javier!
Hoy he tenido menos clases, ¡sólo hasta las 11:30! Así que he aprovechado para meterme en un cibercafé.
Esta semana, que es la primera en Oxford, ha sido muy intensa. ¡Tengo un montón de cosas que contarte, pero poco tiempo!
1. El lunes salí de Barcelona ¡con una hora de retraso! Pero afortunadamente llegué a Oxford sin problemas.
2. La familia que me busqué desde aquí no me pudo alojar. Llamé a Marta, que está en un colegio, y me quedé a dormir en su casa. Al día siguiente, la escuela se ocupó de buscarme otra familia, ¡son muy simpáticos!
3. Nunca he estudiado tanto inglés como ahora. Mi profe es estupenda y mis compañeros, ¡de muchos países! El viernes organizamos una cena... y, claro, ¡no paré de hablar inglés!
4. Ayer me fui de excursión a Stratford... ¿a que no sabes quién vivió allí?

Y tú ¿qué tal? ¿Cuándo te vas de vacaciones?
Irene

Pretérito Perfecto
Hoy

Pretérito Indefinido

b. ¿Y estos marcadores? ¿Se usan con Pretérito Perfecto o con Pretérito Indefinido? Clasifícalos.

El curso pasado   **En julio**   **Esta tarde a las cuatro**

Esta mañana   **La semana pasada**   **En 1999**

Todavía no   **Las vacaciones pasadas**   **El miércoles**

El año pasado   **Estas Navidades**   **El jueves por la noche**

Este trimestre   **El 14 de febrero**   **Hace dos meses**

Anteayer

7 a. **El mismo día que escribió a Javier, Irene llamó a su madre por la tarde. Completa la conversación con el tiempo del pasado adecuado.**

Madre: ¿Sí?

Irene: ¡Hola, mamá!

Madre: ¡Hola, Irene! Por fin llamas tú. Te ~~**he llamado**~~ (llamar) esta mañana y no te _____ (encontrar).

Irene: Es que esta semana no _____ (parar). Además, el lunes, cuando _____ (llegar), no _____ (poder) dormir con la familia Richardson. _____ (tener) que cambiar de familia...

Madre: ¿Y qué _____ (hacer)?

Irene: Pues me _____ (quedar) en el colegio de Marta dos días. Después, el miércoles, en la escuela me _____ (encontrar) una familia ¡muy simpática!

Madre: Y ¿qué tal? ¿Te está gustando?

Irene: Sí ¡Me estoy divirtiendo mucho! Anteayer _____ (ir) a Avon de excursión y ayer _____ (organizar) una cena con los chicos de la clase.

Madre: Sí, muy bien, pero... ¿el inglés?

Irene: ¡Nunca _____ (hablar) tanto inglés, mamá! Hablo inglés en clase con mis compañeros, hablo inglés en casa, hablo inglés cuando salgo... ¡hoy _____ (tener) clases hasta la una y media! Bueno, mamá, ¡que se me acaba la tarjeta!

b. **¡Irene no tiene muy buena memoria! Vuelve a leer el correo que le escribió a Javier y corrige las informaciones falsas.**

Irene se quedó en el colegio de Marta un día...

8 **Transforma las siguientes frases. ¡Ojo con el marcador!**

- Ayer fuimos a patinar con unos amigos. → **Hoy...**
- Estas vacaciones Ana se ha divertido mucho. → **Las vacaciones pasadas...**
- Hace diez minutos que he visto a Luis. → **Hace dos días...**
- Nunca han comido paella. → **El domingo...**
- En Semana Santa estuvisteis en Mallorca. → **Esta Semana Santa...**

9 Completa las siguientes frases con el verbo y el tiempo adecuados y relaciónalas con las ilustraciones.

Sacar - regalar

4 ¡Mira lo que me **han regalado** hoy mis padres! Como este año ▬▬▬▬▬ muy buenas notas...

Encontrarse - perder

◯ Esta semana ▬▬▬▬▬ el examen de lengua en el pasillo. ¡Seguro que la profesora lo ▬▬▬▬▬! ¿Qué hago?

Pasar - bañarse - estar

◯ ¿Sabes que Luis y su familia ▬▬▬▬▬ las Navidades en México? Dice que ▬▬▬▬▬ en Acapulco y ¡▬▬▬▬▬ mucho! Claro, como allí era verano...

Ser - tener

◯ Este año mi hermana mayor ▬▬▬▬▬ un niño precioso, ¡▬▬▬▬▬ mi primer sobrino!

Ir - pasar - divertirse - recoger - terminar

◯ ¿Qué tal te lo ▬▬▬▬▬ ayer en tu cumpleaños? Seguro que te ▬▬▬▬▬ un montón. ¡Con la cantidad de gente que ▬▬▬▬▬ y lo tarde que ▬▬▬▬▬! Pero, ¿quién ▬▬▬▬▬ todo hoy?

Pasar - hacer - ir - bajar - montar

◯ En Semana Santa todos ▬▬▬▬▬ de viaje de fin de curso a los Pirineos: ▬▬▬▬▬ senderismo, ▬▬▬▬▬ a caballo y ▬▬▬▬▬ unos rápidos en piragua. ¡Nos lo ▬▬▬▬▬ genial!

Ganar - tener

◯ ¿Que vosotros ▬▬▬▬▬ el concurso esta tarde? ¿Y no los otros chicos? ¡Qué bien! ¿Y ▬▬▬▬▬ tiempo para pensar lo que vais a hacer con el premio?

Estudiar - ir - aprobar

◯ En septiembre por fin ▬▬▬▬▬ las mate. Es que ▬▬▬▬▬ muchísimo durante todo el verano y ¡no ▬▬▬▬▬ a la playa!

1 **a. ¿Recuerdas algo de la civilización maya? ¡Vamos a poner a prueba tu memoria y tus conocimientos!**
Decide si las siguientes afirmaciones son verdaderas o falsas.

TEST

☐ El calendario maya era muy preciso: tenía 365 días, pero a diferencia del nuestro no tenía doce meses.

☐ Los mayas vivían en ciudades-estado independientes unas de otras.

☐ Los mayas tenían un sistema de escritura muy evolucionado con respecto a los otros pueblos indígenas americanos.

☐ Los mayas construían todos sus edificios con madera; por eso no han quedado edificios de esta civilización y sólo los conocemos por descripciones.

☐ La civilización maya no duró más que dos siglos, del siglo III al V.

☐ Los mayas tenían un sistema decimal como el nuestro. También tenían un signo que equivalía al cero.

☐ Los mayas se dedicaban a la agricultura, a la caza y al comercio.

☐ Todos los mayas eran iguales, no había clases sociales. Además, todos vivían en las ciudades.

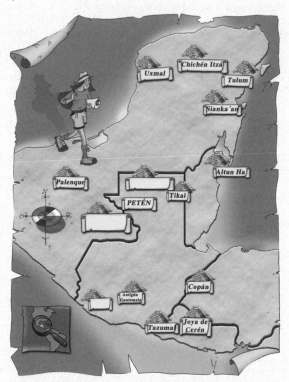

b. Lee el siguiente texto y comprueba tus respuestas. ¿Cuántas has adivinado?

www.mayas.com

¿Quiénes eran los mayas?

La civilización maya fue muy importante: duró unos tres mil años. Ocupaba el sur de Yucatán, parte de Guatemala y Honduras, pero no formaba un estado unificado: los mayas se organizaban en ciudades estado independientes. Tampoco tenían una única lengua.

¿Cómo eran?

Los mayas estaban divididos en clases sociales muy bien definidas. La élite social eran los sacerdotes y los nobles que vivían en la ciudad. Los campesinos vivían en las zonas rurales cerca de la ciudad. También había artesanos especializados y esclavos.
Los mayas eran pacíficos y vivían en tribus. La tierra era propiedad común y el cacique de la tribu la distribuía.
Eran agricultores y cultivaban, sobre todo, el maíz. También cazaban todo tipo de animales con lanzas, arcos, flechas... Además, eran comerciantes. No tenían moneda, pero utilizaban el trueque: intercambiaban pescado, miel, jade y cerámica por otros productos.

¿Cómo era su arquitectura?

Los mayas construían palacios, templos, calzadas que unían las ciudades principales, juegos de pelota, baños de vapor, fortificaciones... Utilizaban la piedra y la madera para sus construcciones.

¿Cómo era su escritura?

Los mayas tenían el sistema de escritura más completo de todos los pueblos indígenas americanos. Escribían textos especializados de medicina, de botánica, de matemáticas y de astronomía.

¿Cómo era su calendario?

Los mayas disponían de un calendario muy preciso de 365 días. El año solar tenía 18 meses de 20 días y otro más de sólo 5 días. Los nombres de los meses eran: Pop, Uo, Zip, Zotz, Tzec, Xul, Yaxkin, Mol, Chen, Yax, Zac, Ceh, Mac, Kankin, Moan, Pax, Kayab, Cumbu y Uayeb.

¿Cómo eran sus matemáticas?

Los mayas tenían un sistema de numeración vigesimal: consideraban el veinte como unidad básica para el cómputo, y no el decimal, como nosotros. También tenían un signo para representar el cero: así podían hacer operaciones matemáticas complejas.

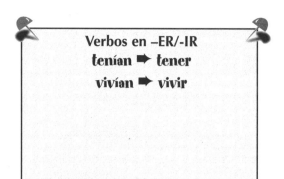

2 a. Escribe y clasifica los verbos en Imperfecto que aparecen en el ejercicio 1 b. ¿Cuál es su Infinitivo?

Verbos en –ER/-IR	Verbos en -AR
tenían ➡ tener	ocupaban ➡ ocupar
vivían ➡ vivir	

b. Completa la regla de formación del Pretérito Imperfecto.

Los verbos que terminan en -AR añaden a la raíz -................, más las desinencias:	Los verbos que teminan en -ER/-IR añaden a la raíz -................, más las desinencias:
• ocup-ar >...........................	• ten-er> ....
• est-ar >...........................	• viv-ir> ....

Hay sólo tres verbos irregulares:

ir >iba, ibas, iba, íbamos, ibais, iban.

ver > veía, veías, veía, veíamos, veíais, veían.

ser > ....

3 a. Estos son algunos inventos españoles.
Relaciona la palabra con la ilustración.

❑ **Fregona**

❑ **Abanico**

❑ **Submarino**

❑ **Futbolín**

❑ **Chupa-chups**

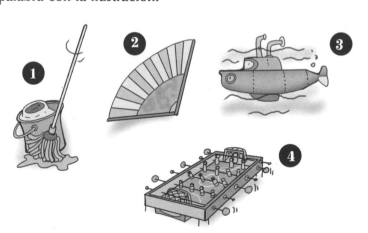

b. ¿Cómo era antes la vida sin estos inventos?

Algunas ideas

Sudar - mancharse las manos - tardar más en fregar - estar menos bajo el agua - tener más calor - no ver el fondo del mar - durar menos - mojarse las manos

Sin el chupa-chups los niños se manchaban las manos.
El caramelo duraba menos y ¡no se sacaba la lengua!

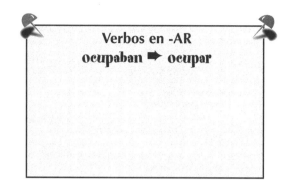

notas

4 **a. ¿En qué están pensando estos chicos?**

El chico está pensando en un balón, ...
La chica está pensando en una pizarra, ...

b. ¿Qué dirán dentro de 150 años los habitantes de la Tierra de estos objetos? Relaciona y completa las frases con el Imperfecto.

☐ **1** Los chicos ....**llevaban**................ (llevar) kilos de peso en la espalda todos los días.

☐ Se .... (ensuciar) y .... (haber) que lavarlos muchas veces.

☐ Se .... (romper) cuando te .... (caer) jugando al fútbol.

☐ .... (tener) muchas teclas y se .... (escribir) con los dedos.

☐ .... (estar) conectado al ordenador por un cable y se .... (usar) cogiéndolo con la mano derecha o izquierda.

☐ Te .... (manchar) de blanco cuando .... (escribir).

☐ .... (ser) duro y rígido. Si alguien te .... (dar) con él en la nariz te .... (hacer) daño.

☐ Lo .... (coger) con la mano y .... (grabar) imágenes dándole a botoncitos.

1 **a. ¿Conoces a estos personajes? ¿Eran científicos, aventureros o exploradores?**

☐ Roald Amundsen

☐ Cristóbal Colón

☐ Juan Sebastián Elcano

☐ Charles Robert Darwin

☐ Marco Polo

b. Lee las siguientes biografías y decide a quién de los anteriores personajes pertenecen. ¡Ojo, tienes que completar los verbos en Indefinido! Después, comprueba tus respuestas.

1. Nac▨ en 1476 aproximadamente y mur▨ en 1526. Era un navegante español. Fu▨ el primer navegante europeo que d▨ la vuelta al mundo. A su vuelta, Carlos V le concedi▨ un escudo de armas en el que aparecía un globo con el lema *Primus circumdedisti me*.

2. Nac▨ en 1809 y mur▨ en 1882. Era un naturalista inglés. Hi▨ un viaje alrededor del mundo que dur▨ cinco años. En este viaje recogi▨ muchas observaciones sobre la flora, la fauna y la geología de las zonas que visit▨. Algunos años más tarde se hiz▨ famoso con su teoría de la evolución.

3. Nac▨ en 1254 y mur▨ en 1324. Era un viajero y comerciante veneciano. Acomp▨ a su padre a China cuando era muy joven. El viaje dur▨ tres años y medio. Después de casi 18 años regres▨ a Venecia. Más tarde, en las cárceles de Génova, cont▨ las grandes maravillas de Oriente en "Los viajes".

4. Nac▨ en 1872 y mur▨ en 1928. Era un explorador noruego. El 14 de diciembre de 1911 lle▨ el primero al polo Sur, cumpliendo así el sueño que tenía desde pequeño. Para conseguir su meta tuv▨ que enfrentarse a una dura carrera con la expedición del inglés Scott.

5. Nac▨ en 1451 y mur▨ en 1506. Era un navegante italiano. Empez▨ a planificar un viaje por el Atlántico que propu▨ al rey de Portugal. Como este no acept▨ su proyecto, expus▨ su plan en secreto a los reyes de España. Descubr▨ el Nuevo Mundo el 12 de octubre de 1492. Hi▨ cuatro viajes a América.

SOLUCIONES:
1. Juan Sebastián Elcano - 2. Charles Robert Darwin - 3. Marco Polo - 4. Roald Amundsen - 5. Cristóbal Colón

notas

2 **a. ¿Cómo era para los antiguos la Tierra? Completa las descripciones con los verbos en Imperfecto.**

~~IMAGINAR~~

VIVIR

ESTAR

SER

TENER

CREER

APOYARSE

SUJETAR

PROTEGER

1. Los egipcios
Imaginaban la Tierra como un huevo que la Luna ⬭⬭⬭⬭⬭ durante la noche.

2. Los antiguos hindúes
La Tierra ⬭⬭⬭⬭⬭ forma hemisférica. Los cuatro elefantes que ⬭⬭⬭⬭⬭ la Tierra, se ⬭⬭⬭⬭⬭ sobre una tortuga enorme.

3. Los incas
El mundo ⬭⬭⬭⬭⬭ un cofre con un tejado donde ⬭⬭⬭⬭⬭ un gran dios.

4. Los antiguos chinos
⬭⬭⬭⬭⬭ que la Tierra ⬭⬭⬭⬭⬭ plana y que China ⬭⬭⬭⬭⬭ en el centro.

b. Esta es una anécdota relacionada con la forma de la Tierra de un navegante muy famoso, Cristóbal Colón. Léela.

El huevo de Colón

En una ocasión, Cristóbal Colón estaba en un banquete donde era el invitado de honor. Uno de los cortesanos que estaba allí sentía muchos celos hacia el gran almirante. En cuanto tuvo oportunidad, le preguntó a Colón si no había otros hombres en España capaces de llegar al mismo descubrimiento que él.

Colón prefirió no responder directamente a aquel hombre: le planteó un juego de ingenio. Se levantó, tomó un huevo de gallina fresco y preguntó si alguien podía mantener el huevo en pie a pesar de su forma. Casi todos los invitados intentaron mantener el huevo en equilibrio, pero pasaba el tiempo y ninguno lo conseguía.

Finalmente, Colón se levantó de nuevo. Con aire solemne, se acercó, tomó el huevo y lo golpeó ligeramente contra la superficie de la mesa hasta que se hundió un poco la cáscara de uno de los extremos. ¡El huevo se mantenía en posición vertical!

El cortesano dijo que de esa manera cualquiera podía hacerlo, a lo que Colón respondió que no era difícil, ¡sólo había que pensarlo!

c. Clasifica los verbos en pasado que aparecen en la anécdota.

Acciones
• En cuanto tuvo oportunidad,

Contexto
• Estaba en un banquete.

3 Las grandes aventuras no han terminado. Lee los siguientes textos y completa con **Pretérito Indefinido** y con **Pretérito Imperfecto**.

Una aventura científica

"¡ Oh, lejana y agreste naturaleza de los días de mi infancia!: naturaleza viva, palpitante; comprendida y amada por quien hace treinta años iniciaba un camino que le ha proporcionado las más emocionantes aventuras y frescas alegrías..."

Conocer • Estudiar • Dedicar • Escribir • Traducir • Publicar • Hacer • Ver • Ser • Recorrer • Amar • Mostrar • Transmitir • Sentir

Todo el mundo **conoció** a este gran amigo de los animales. Aunque _____ Medicina, _____ gran parte de su vida a la divulgación de las Ciencias Naturales, su pasión. _____ numerosas obras: la famosa *Enciclopedia Salvat* de la fauna se _____ a 12 idiomas y se _____ en 20 países. Además, _____ varios programas de televisión que pronto traspasaron las fronteras de España. Documentales como "Vida Salvaje", "Planeta azul", "Félix el amigo de los animales" o "El hombre y la tierra" se _____ en casi todo el mundo.

Félix Rodríguez de la Fuente _____ un viajero incansable que _____ España, África y América siguiendo a los animales que _____. Además, despertó la conciencia ecológica de muchos de nosotros: _____ las maravillas de la naturaleza y nos _____ el respeto y el amor que él _____ por los animales.

Una aventura deportiva

Muchos de nuestros sueños se quedan en eso, simples sueños. Pero el de Araceli Segarra, una joven alpinista española de 32 años, está cerca: tocar las tres cumbres más altas de la Tierra. Si lo consigue, va a batir un récord mundial: ser la primera mujer en lograrlo.

Tocar • Recorrer • Poder • Hacer • Soplar • Estar • Pasar • Poder • Tener • Ser • Parar • Parecer

En 1996 Araceli Segarra **tocó** la cima del Everest y la fama. Mientras la expedición _____ su última etapa todos _____ verla por la filmación que se _____: "Recuerdo la noche antes de planear hacer la cima. El viento _____ fuerte todo el día, y _____ esperando a ver qué _____. Con aquel viento, no _____ escalar. _____ miedo y _____ muy prudente. Pero entonces el viento se _____ y la montaña _____ decir: "Bien, puedes venir y probar".

4 Ordena la historia de Juan el Intrépido. Después, transforma las frases con "como" en frases con "porque", y viceversa.

☐ Como Juan era muy fuerte e intrépido, resistió en el mar días y días agarrado a una tabla.

☐ El barco se hundió rápidamente porque no resistió la fuerza del viento huracanado y las gigantescas olas.

☐ Como tenía que estar de guardia, se dio cuenta muy pronto del peligro.

☐ Una noche tuvo mucho miedo porque había una tormenta terrible.

☐ Como no tenía dinero, decidió embarcarse en una nave.

☐ 1 Juan el Intrépido, desde muy pequeño, era un apasionado de las novelas de aventuras, pero a su alrededor nunca pasaba nada.

☐ Un día Juan decidió abandonar su pequeño pueblo, porque tenía ganas de conocer mundo.

> Como tenía ganas de conocer mundo, un día Juan decidió abandonar su pequeño pueblo.

5 a. Este es el diario de Juan: le salvaron unos indígenas. Léelo.

Lunes, 21 de marzo de 1877

Mañana
Hoy me he despertado muy pronto: es la fiesta de la primavera. Los indígenas están desde el amanecer con los preparativos de la fiesta.
Si el reloj solar que he construido no me engaña, a eso de las 12 todos tienen que desaparecer del poblado. No se oyen ruidos de animales: estoy un poco asustado.

Tarde
Mi miedo persiste, pero he comido y he conseguido dormir en mi choza. Hay mucha humedad, aunque el sol es espléndido.
Los indígenas han vuelto al atardecer muy contentos. Vienen con pescados desconocidos para mí, frutas exóticas y millones de flores de todos los colores. Ahora están decorando el poblado. Ya estoy más tranquilo.

Noche
Hemos cenado ¡mucho! alrededor del fuego. Después ha empezado la fiesta. Yo todavía no conozco muy bien su lengua, pero me han enseñado algunas canciones muy divertidas. No sé bailar, pero he seguido el ritmo: todos tenemos que participar, danzar alrededor del fuego es un rito muy importante para ellos. La fiesta ha terminado casi al amanecer. Miro el cielo con sus últimas estrellas. "¿Y mañana?".

b. Redacta en tu cuaderno el día de Juan después de la vuelta a su pequeño pueblo.

> Hoy es 21 de marzo, pero la isla de Tamoreé está muy lejos, aunque creo que nunca me voy a olvidar del año que pasé allí. Ese día en Tamoreé me desperté muy pronto, porque era la fiesta de la primavera...

unidad 7
lección 13

1 **a. ¿Cómo será nuestro siglo?** La revista *Futura* está haciendo una encuesta por Internet. Selecciona la opción más adecuada de acuerdo con tus previsiones.

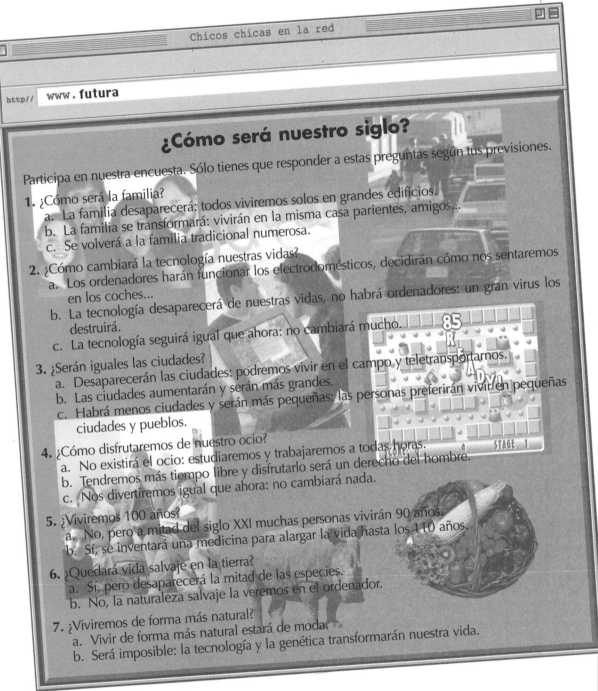

Chicos chicas en la red

http// www.futura

¿Cómo será nuestro siglo?

Participa en nuestra encuesta. Sólo tienes que responder a estas preguntas según tus previsiones.

1. ¿Cómo será la familia?
   a. La familia desaparecerá: todos viviremos solos en grandes edificios.
   b. La familia se transformará: vivirán en la misma casa parientes, amigos...
   c. Se volverá a la familia tradicional numerosa.

2. ¿Cómo cambiará la tecnología nuestras vidas?
   a. Los ordenadores harán funcionar los electrodomésticos, decidirán cómo nos sentaremos en los coches...
   b. La tecnología desaparecerá de nuestras vidas, no habrá ordenadores: un gran virus los destruirá.
   c. La tecnología seguirá igual que ahora: no cambiará mucho.

3. ¿Serán iguales las ciudades?
   a. Desaparecerán las ciudades: podremos vivir en el campo y teletransportarnos.
   b. Las ciudades aumentarán y serán más grandes.
   c. Habrá menos ciudades y serán más pequeñas: las personas preferirán vivir en pequeñas ciudades y pueblos.

4. ¿Cómo disfrutaremos de nuestro ocio?
   a. No existirá el ocio: estudiaremos y trabajaremos a todas horas.
   b. Tendremos más tiempo libre y disfrutarlo será un derecho del hombre.
   c. Nos divertiremos igual que ahora: no cambiará nada.

5. ¿Viviremos 100 años?
   a. No, pero a mitad del siglo XXI muchas personas vivirán 90 años.
   b. Sí, se inventará una medicina para alargar la vida hasta los 110 años.

6. ¿Quedará vida salvaje en la tierra?
   a. Sí, pero desaparecerá la mitad de las especies.
   b. No, la naturaleza salvaje la veremos en el ordenador.

7. ¿Viviremos de forma más natural?
   a. Vivir de forma más natural estará de moda.
   b. Será imposible: la tecnología y la genética transformarán nuestra vida.

b. Localiza los verbos en Futuro. ¿Cuál es su Infinitivo?

Será ⇨ Ser

notas

2 **a. ¿Cómo será el siglo XXI? La revista *Futura* nos da las previsiones. Lee el artículo y completa cada apartado con el Futuro correspondiente.**

1. ¿Cómo será la familia?

ser   vivir   aumentar

La familia tradicional ...**será**..... un modelo minoritario. La composición de las nuevas familias .... muy variada: los abuelos .... con los nietos, las madres divorciadas con hijos adultos... También .... las casas ocupadas por amigos jóvenes, varias familias.

2. ¿Cómo cambiará la tecnología nuestras vidas?

abrir   decidir   haber   colocar

.... ordenadores muy pequeños y muy baratos. Los ordenadores .... la temperatura apropiada para cada programa de la lavadora, ... las puertas del coche, ... la posición de los asientos y el volante.

3. ¿Las ciudades serán igual?

ser   decidir   vivir

En el año 2025 dos tercios de la población mundial .... en las ciudades. En tan sólo quince años las megaciudades .... 33. Las grandes metrópolis .... el equilibrio del mundo.

4. ¿Cómo disfrutaremos de nuestro ocio?

dedicar   viajar   jugar   visitar

.... cada vez más tiempo al ocio: Nos moveremos virtualmente: desde nuestras casas .... museos, ... un partido de fútbol... ¡Ah! También .... a cualquier época de la historia o conoceremos a clones de premios Nobel.

5. ¿Viviremos 100 años?

ser   descubrir   vivir   terminar

Los científicos .... nuevas medicinas y vacunas que .... con enfermedades graves. La esperanza de vida en 1900 era de 50 años, actualmente es de 80 y a mediados del siglo XXI .... probablemente de 90 años. ¿A finales de siglo los seres humanos .... 100 años? ¡Quién sabe!

6. ¿Quedará vida salvaje en la Tierra?

aumentar   cambiar   ser   desaparecer

.... casi la mitad de las especies actuales en este siglo, pero el interés por la ecología .... y el hombre probablemente (rectificar) .... ¿.............. demasiado tarde?

7. ¿Viviremos de forma más natural?

comprar   estar   ir   usar

.... más al médico naturista, ... más jabones y cosméticos vegetales... Lo natural .... de moda. Se .... la más alta tecnología con los productos más naturales.

b. ¿Coinciden tus previsiones con las de *Futura*?

3 Sigue las series con los verbos propuestos.

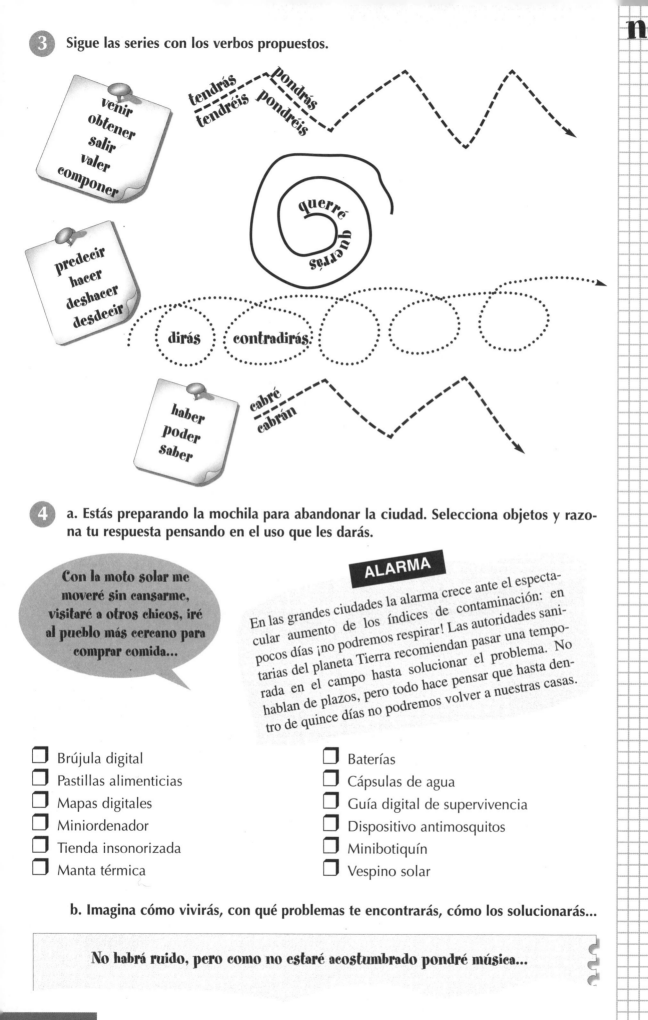

venir
obtener
salir
valer
componer

tendrás
tendréis
pondrás
pondréis

querré
querrás

predecir
hacer
deshacer
desdecir

dirás   contradirás

haber
poder
saber

cabré
cabrán

4 **a. Estás preparando la mochila para abandonar la ciudad. Selecciona objetos y razona tu respuesta pensando en el uso que les darás.**

Con la moto solar me moveré sin cansarme, visitaré a otros chicos, iré al pueblo más cercano para comprar comida...

ALARMA

En las grandes ciudades la alarma crece ante el espectacular aumento de los índices de contaminación: en pocos días ¡no podremos respirar! Las autoridades sanitarias del planeta Tierra recomiendan pasar una temporada en el campo hasta solucionar el problema. No hablan de plazos, pero todo hace pensar que hasta dentro de quince días no podremos volver a nuestras casas.

- ☐ Brújula digital
- ☐ Pastillas alimenticias
- ☐ Mapas digitales
- ☐ Miniordenador
- ☐ Tienda insonorizada
- ☐ Manta térmica

- ☐ Baterías
- ☐ Cápsulas de agua
- ☐ Guía digital de supervivencia
- ☐ Dispositivo antimosquitos
- ☐ Minibotiquín
- ☐ Vespino solar

b. Imagina cómo vivirás, con qué problemas te encontrarás, cómo los solucionarás...

No habrá ruido, pero como no estaré acostumbrado pondré música...

unidad 7
lección 14

1 **a.** ¿Sabes cómo se llaman estos animales en español? Relaciona cada ilustración con la palabra.

- 11. la rata
- el buey
- el tigre
- el gato
- el dragón
- la serpiente

- el caballo
- la cabra
- el mono
- el gallo
- el perro
- el cerdo

b. ¿De qué signo del horóscopo chino son? Comprueba tus respuestas en el ejercicio 3.

RATA	BUEY	TIGRE	GATO	DRAGÓN	SERPIENTE
1900 • 1912 1924 • 1936 1948 • 1960 1972 • 1984 1996	1901 • 1913 1925 • 1937 1949 • 1961 1973 • 1985 1997	1902 • 1914 1926 • 1938 1950 • 1962 1974 • 1986 1998	1903 • 1915 1927 • 1939 1951 • 1963 1975 • 1987 1999	1904 • 1916 1928 • 1940 1952 • 1964 1976 • 1988 2000	1905 • 1917 1929 • 1941 1953 • 1965 1977 • 1989 2001
CABALLO	**CABRA**	**MONO**	**GALLO**	**PERRO**	**CERDO**
1906 • 1918 1930 • 1942 1954 • 1966 1978 • 1990 2002	1907 • 1919 1931 • 1943 1955 • 1967 1979 • 1991 2003	1908 • 1920 1932 • 1944 1956 • 1968 1980 • 1992 2004	1909 • 1921 1933 • 1945 1957 • 1969 1981 • 1993 2005	1910 • 1922 1934 • 1946 1958 • 1970 1982 • 1994 2006	1911 • 1923 1935 • 1947 1959 • 1971 1983 • 1995 2007

2 ¿Quieres saber qué dice tu horóscopo, el de tu mejor amigo y el de tus padres? Primero busca su signo en la tabla de 1b. Después, completa las predicciones con el verbo adecuado en Futuro.

RATA doler-divertirse-hacer

...Harás... mucho ejercicio físico, pero ¡te .... mucho las piernas! Si no pierdes tu buen humor ¡tus amigos .... un montón contigo! Aprovecha: semana ¡genial! ¿Quieres conocer a alguien? Pues, ¡sin miedo!

CABALLO ser-salvar-recibir

Tu optimismo .... contagioso, pero al final de la semana .... una mala noticia. ¡Mantén tu optimismo! Un golpe de suerte te .... de un examen sorpresa. ¡Menos mal, porque los estudios van regular!

BUEY influir-ir-tener

Tu estado apático y desmotivado .... negativamente en tu salud. Si quieres librarte de un buen resfriado .... que pasar el fin de semana en casa: ¡............... a verte muchos amigos! ¿Tienes películas o juegos a mano?

CABRA estar-marcharse-dar

Si no quieres que te duela el estómago, evita la comida picante. Te .... dinero que no te esperabas pero igual que llega ¡............... ! Tus profesores .... encantados contigo. Es un buen momento. ¡Aprovéchalo!

TIGRE tener-llamar-quedarse

Si te compras todo lo que quieres, ¡............... sin dinero para el resto del mes! Te .... unos amigos para organizar un fin de semana en un parque temático. ¡............... que elegir!

MONO ganar-tener-ir

.... una salud fantástica y .... en todos los deportes. Si quieres conocer a gente nueva, ¿por qué no ser más sociable? .... a una fiesta: esta puede ser tu gran ocasión.

GATO dedicar-suspender-deber

.... un control: si quieres recuperarlo .... estudiar sin parar. ¡Ánimo, que tú puedes! .... parte de tus ahorros a ayudar a alguien muy cercano. ¡Para eso están los amigos!

GALLO recuperar-dormir-estar

.... muy nervioso y no .... bien... ¿Se acercan los exámenes? Estudia más y .... la calma, ¡y el sueño! Ya sabes que quien algo quiere... ¡algo le cuesta!

DRAGÓN marcharse-deber-conocer

.... controlar tu mal humor si no quieres enfadarte con todo el mundo. El fin de semana .... fuera con tus padres y .... a alguien muy divertido... ¿Estás preparado para contar chistes?

PERRO ser-tener-recibir

.... un regalo sorpresa: tus esfuerzos .... recompensados. Si quieres recuperar a un amigo .... que dar tú el primer paso. ¡Ánimo! ¡Un amigo es para siempre!

SERPIENTE tomar-deber-salir

Con poco esfuerzo las cosas te .... de maravilla: ¡estás en tu mejor momento! Pero cuidado: a finales de semana alguien te .... el pelo. Si quieres evitarlo, ¡............... tener los ojos abiertos!

CERDO quedarse-hacer-tener

Ten preparadas las maletas, porque .... realidad el viaje de tus sueños. Eso sí, tienes que estar preparado para la vuelta: ¡............... sin dinero! .... un pequeño accidente. ¡Cuidado con las escaleras!

---

notas

3 ¿Qué harán estas personas si se cumplen las previsiones de su horóscopo? Imagina tu respuesta.

Si le duelen mucho las piernas...

....

Si recibe una mala noticia...

....

Si alguien le toma el pelo...

....

Si le duele el estómago...

....

Si suspende un control...

....

Si no es más sociable...

....

Si se enfada con todo el mundo...

....

Si quiere recuperar a un amigo...

....

Si se resfría...

....

Si se cae por las escaleras...

....

4 ¡Vamos a inventar excusas! Completa los siguientes diálogos con "tener + que + Infinitivo" o "deber + Infinitivo".

1
- Javier, ¿me puedes pasar los apuntes?
- Es que

2
- Estamos sin dinero. ¿Nos prestáis algo?
- Es que

3
- ¿Me llevas a casa en tu vespino?
- Es que

4
- ¿Quieres ayudarme a recoger la casa?
- Es que

5
- ¿Podemos quedarnos a estudiar con vosotros?
- Es que

6
- Virginia, ¿bajas a comprar?
- Es que

1 ¿Sabes lo que es un pensagrama? Coloca las formas de Imperativo negativo correspondientes en el recuadro. Después, traslada cada letra de las soluciones al cuadro de los números. ¡Son los versos que le faltan a esta poesía!

PRIMER VERSO

	1	2	3	4	5	6	7
A	N	O	B	E	B	A	S
B	8	9	10	11	12	13	14
C	15	16	17	18	19	20	21
D	22	23	24	25	26	27	28
E	29	30	31	32	33	34	35

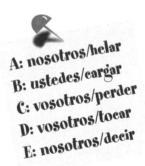

A: tú/beber
B: usted/quedar
C: usted/doler
D: tú/seguir
E: usted/viajar

| 8 | 23 | | 17 | 32 | 26 | 6 a | 28 | | 20 | 2 o | | 10 | 18 | 35 | | 7 s | 33 | 3 b | 12 | 24 |

SEGUNDO VERSO

	1	2	3	4	5	6	7	8	9
A	1	2	3	4	5	6	7	8	9
B	10	11	12	13	14	15	16	17	18
C	19	20	21	22	23	24	25	26	27
D	28	29	30	31	32	33	34	35	36
E	37	38	39	40	41	42	43	44	45

A: nosotros/helar
B: ustedes/cargar
C: vosotros/perder
D: vosotros/tocar
E: nosotros/decir

| 18 | 38 | | 3 | 42 | 15 | 25 | 9 | | 30 | 20 | 39 | 8 | | 5 | 44 | | 32 | 16 | 34 |

| 21 | 33 | 6 | 24 | 22 | 36 |

notas

TERCER VERSO

	1	2	3	4	5	6	7	8
A	1	2	3	4	5	6	7	8
B	9	10	11	12	13	14	15	16
C	17	18	19	20	21	22	23	24
D	25	26	27	28	29	30	31	32
E	33	34	35	36	37	38	39	40

A: vosotros/talar
B: usted/querer
C: vosotros/comer
D: tú/doblar
E: vosotros/huir

| 17 | 28 | | 19 | 15 | 6 | 38 | 24 | | 3 | 10 | 27 | 34 | | 5 | 26 | | 11 | 36 | 31 | | 2 | 37 | 14 | 32 |

CUARTO VERSO

	1	2	3	4	5	6	7
A	1	2	3	4	5	6	7
B	8	9	10	11	12	13	14
C	15	16	17	18	19	20	21
D	22	23	24	25	26	27	28
E	29	30	31	32	33	34	35

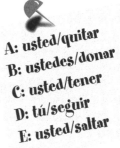

A: usted/quitar
B: ustedes/donar
C: usted/tener
D: tú/seguir
E: usted/saltar

| 12 | 9 | | 26 | 32 | 24 | 34 | 13 | 31 | | 17 | 2 | 10 | 30 | | 33 | 11 | | 3 | 4 | 35 |

| 6 | 25 | 7 | 19 | 18 | 28 |

....
....
....

porque

el que dice todo lo que sabe,
el que hace todo lo que puede,
el que cree todo lo que oye,
el que gasta todo lo que tiene,

muchas veces

dice lo que no conviene,
hace lo que no debe,
juzga lo que no ve,
gasta lo que no puede.

2 **a. Estos son algunos consejos de educación vial. ¿A quién se refieren? ¿A peatones, viajeros en coche o ciclistas?**

Consejos de educación vial
No abrir puertas ni ventanas mientras circulas. **Viajeros**
No circular demasiado cerca de los coches.
No cruzar entre coches aparcados.
No provocar molestias a la gente que camina por la acera.
No girar sin señalarlo con la mano izquierda o con la derecha.
No bajar por la puerta cercana a la carretera.
No circular por la izquierda.
No cruzar cuando el semáforo está en ámbar o en rojo.
No tirar objetos por la ventanilla.
No hacer competiciones ni zig-zags por carretera.
No correr por la acera ni realizar movimientos bruscos.
No molestar al conductor: de él depende tu seguridad.

b. Transforma estos consejos utilizando el Imperativo negativo con "tú" y "vosotros".

No abras puertas ni ventanas mientras circulas.
No abráis puertas ni ventanas mientras circuláis

c. ¿Qué le sugerirías/recomendarías a un conductor de monopatín?

1 ....

2 ....

3 ....

4 ....

5 ....

notas

3 a. ¡Ahora vamos a la calle! Observa la ilustración. Con la ayuda del diccionario localiza el vocabulario.

Buzón Farola Peatón

Acera

Conductor

Ciclista

Señal de tráfico

Paso de cebra

Motociclista

Semáforo

b. ¡Qué caos! Tacha las infracciones y advierte a los personajes lo que están haciendo mal. ¡Ojo! Si son chicos, utiliza "tú" o "vosotros"; si son adultos, utiliza "usted" o "ustedes".

¡No circules por la acera!

57

notas

1 **a. Completa el cuadro con las personas del Presente de Subjuntivo que faltan.**

	VIAJAR	QUERER	CANTAR	TENER	PODER	SERVIR
⚀	viaje			tenga		sirva
⚁		quieras			puedas	
⚂	viaje		cante			
⚃						sirvamos
⚄		queráis			podáis	
⚅				tengan		sirvan

	HABLAR	IR	VIVIR	LEER	BEBER	DECIR
⚀	hable	vaya				diga
⚁	hables			leas	bebas	
⚂				lea		
⚃			vivamos			digamos
⚄	habléis		viváis			
⚅		vayan		lean	beban	

b. Clasifica los verbos de 1.a en la cajita correspondiente.

Verbos regulares
Viajar

Verbos irregulares
Querer

c. Estos verbos, ¿son regulares o irregulares? Clasifícalos donde corresponda. Después, comprueba tus respuestas en la página 105 del Libro del alumno.

mover   cerrar   ir
saber   venir
escribir   comer
poner   salir
bailar   pedir   hacer
estar

notas

2 a. ¿Tienes buena memoria? Ordena las letras.

JOO	**OJO**	EJORAS	....
ABCO	....	MBOHRO	....
LLUECO	....	ODCO	....
OECHP	....	LESADPA	....
GESOÓMTA	....	ZRABO	....
ODDES	....	ACRITNU	....
MOAN	....	DARCEA	....
DOLLAIR	....	NIPERA	....
IEP	....	OTOLLIB	....
ZACEBA	....		

b. Ahora, clasifica las palabras en la cajita correspondiente.

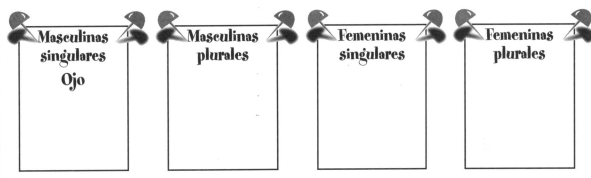

Masculinas singulares Ojo	Masculinas plurales	Femeninas singulares	Femeninas plurales

3 a. Cristina está haciendo un trabajo de ecología para clase. Ha observado las costumbres de sus familiares, amigos y vecinos. Lee las notas que ha tomado.

✔ Mi hermano Quique, el pequeño, siempre se queda dormido con la luz de su cuarto encendida.

✔ Todos los domingos mi vecino del tercero baja, compra el periódico, lo lee en el bar y después lo tira a la papelera.

✔ Mi madre casi nunca lee las etiquetas de los productos de limpieza. ¿Serán biodegradables?

✔ Los vecinos del quinto son muy despistados: en agosto se fueron de vacaciones, se les olvidó cerrar el agua y... ¡la casa se inundó!

✔ Mi hermano Jaime siempre deja el grifo abierto mientras se afeita.

✔ En casa de mi amiga Silvia siempre hace mucho calor: tienen la calefacción todo el día puesta muy alta.

✔ Algunos días, como dice que está muy cansada, mi hermana llena la bañera y está una hora en el agua.

✔ Los vecinos del segundo nunca van a los contenedores para tirar el papel, el vidrio... Creo que no separan la basura.

✔ Mis padres compran cuadernos de papel normal: dicen que somos muchos y que los reciclados son muy caros.

b. Ahora, tiene que pasar a la acción y hacer algunas recomendaciones a sus familiares, amigos y vecinos. Ayúdala.

Quique: es mejor que duermas con la luz apagada.

4 **a. En la clase de gimnasia estos chicos han hecho mucho ejercicio. ¿Qué partes del cuerpo han trabajado?**

rodillas

piernas

b. ¡La clase ha sido un desastre! ¿Qué les recomiendas? Completa los diálogos: elige un consejo y transforma las frases utilizando "es mejor que", "es bueno que" o "está bien que".

> practicar más para no caerte la próxima vez
> inventar una excusa para no ir el próximo día a clase
> escribir una nota anónima contándolo
> comprarte uno nuevo

1 **Ana:** ¡Me duele todo el cuerpo! ¡Qué clase!
Lucía: Sí, a mí también.
Tú: **Es mejor que hagas más deporte para estar en forma.** ....

2 **Rubén:** ¡Qué dolor en el tobillo! Como no sé saltar muy bien a la cuerda... ¡me he caído! Encima, toda la clase se ha reído.
Tú: ....

3 **Sonia:** ¡Qué vergüenza! ¡Se me ha roto el pantalón del chándal en clase! Menos mal que casi nadie lo ha visto, ¿te imaginas?
Tú: ....

4 **Miguel:** ¿Y qué hago? Estábamos jugando, le he dado muy fuerte al balón... ¡y se ha roto el cristal! No se lo hemos dicho a nadie, pero...
Tú: ....

5 **El profesor:** ¡Un desastre! ¡Ha sido la peor clase de mi vida! Estoy tan nervioso que no puedo dormir... ¡Y la semana próxima otra vez la misma clase!
Tú: ....

notas

5 En español hay muchas expresiones con palabras de partes del cuerpo. Lee estos diálogos y marca el significado.

- Como no nos ponemos de acuerdo lo mejor será **echarlo a cara o cruz**.
○ Sí. Si sale cara pagas tú, si sale cruz pago yo.

    a. Tirar una moneda al aire para tomar una decisión.
    b. Pagar cada uno lo suyo.

- ¡He dicho que no y es que no! A las doce en casa.
○ Mamá, por favor... **Te lo pido de rodillas**. ¡Mis amigos llegan mucho más tarde!

    a. Expresar tristeza y malestar.
    b. Pedir algo en tono suplicante y de forma insistente.

- Nada. Esta cuenta no me sale y ¡llevo media hora!
○ **¡Qué cabeza tan dura!** Si es muy fácil.

    a. Persona torpe o que no tiene facilidad para entender las cosas.
    b. Persona impaciente y nerviosa.

- A María del Mar siempre le dices que sí y a mí... ¡Claro, como es **tu ojo derecho**!
○ No es eso. Es que esos pantalones son muy caros.

    a. Ser la persona preferida.
    b. Ser la persona impertinente.

6 Completa las siguientes frases con una palabra de la lista y el Presente de Subjuntivo.

aburrido   cansada   grandes

feo   triste

1 ¡Qué ⸺⸺! Es mejor que me ⸺⸺ (echar / yo) un rato la siesta.

2 ¡Qué ⸺⸺! Es mejor que ⸺⸺ (repetir / tú) el dibujo.

3 ¡Qué ⸺⸺! Es mejor que ⸺⸺ (cambiar / vosotros) los zapatos por un número menos.

4 ¡Qué ⸺⸺! Es mejor que ⸺⸺ (cambiar / nosotros) de videojuego.

5 ¡Qué ⸺⸺! Es mejor que ⸺⸺ (ver / yo) una película de risa.

Colección Chicos Chicas

Español Lengua Extranjera

Chicos Chicas

Libro del alumno

nivel

María Ángeles Palomino

edelsa

Español Lengua Extranjera

Chicos Chicas

Cuaderno de ejercicios

nivel 1

María Ángeles Palomino
Nuria Salido García

edelsa

Entre · Español Lengua Extranjera

Chicos Chicas

Vídeo

nivel 1

Entre · Español Lengua Extranjera

Chicos Chicas

Vídeo

nivel 2

Español Lengua Extranjera

Chicos Chicas

Libro del alumno

nivel 2

María Ángeles Palomino

edelsa

Español Lengua Extranjera

Chicos Chicas

Cuaderno de ejercicios

nivel 2

Nuria Salido García

edelsa